DE KEIZER L

Ontdek onze auteurs en boeken op de website Kid City:
http://www.kidcity.be

Henri van Daele

DE KEIZER
LACHT

averbode

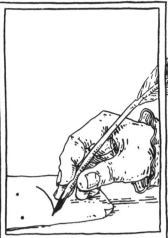

Inleiding

WIE niet zo van inleidingen houdt, moet dit stuk maar overslaan en doorbladeren naar het eerste vrolijke verhaal over keizer Karel. Want naar ik hoop, is dit vooral een vrolijk boek geworden. In deze beroerde tijden wekt het misschien verbazing dat iemand een vrolijk boek schrijft. Maar ik ben een oude man, die zijn herinneringen koestert en misschien wat al te graag teruggrijpt naar een tijd waarin alles beter was.

Ik heb als kamerheer en raadgever de keizer meer dan veertig jaar gediend en veel met hem meegemaakt.

Wie het portret bekijkt dat de grote meester Titiaan van mijn heer en meester heeft gemaakt, ziet daarop een ernstige en zelfs wat ziekelijke man afgebeeld. Het is waar dat de macht van de wereld op de keizer drukte als een last en dat hij zijn hele leven geleden heeft onder hevige gewrichtspijnen. Hij voerde altijd wel ergens oorlog. Om de grenzen van zijn rijk te vrijwaren en om de glorie van onze moeder de Heilige Kerk te beschermen tegen ketterij.

Het is te vroeg om een oordeel te vellen over deze wapenfeiten en de politiek die de keizer voerde, laat staan om er een analyse van te maken. Dat moeten volgende generaties doen. Ware geschiedenis kan alleen geschreven worden vanop een zekere afstand en zonder enige emotie. Het portret van Titiaan doet de keizer in zekere zin onrecht omdat het maar één kant van zijn persoonlijkheid laat zien. Dat van de heerser, in wiens rijk de zon nooit onderging.

Ik heb mijn heer en meester ook in heel andere omstandigheden meegemaakt. Ik heb ook de lachende keizer gekend, de zingende keizer, de keizer die wat te diep in het glas had gekeken.

Geboren in Gent en opgegroeid in Vlaanderen, is hij eigenlijk zijn hele leven lang een Vlaming gebleven, die dol was op bier en lekker eten. De lieden uit deze contreien beschouwden hem als iemand van hen. Terecht, denk ik. En al was hij soms streng, hij was ook rechtvaardig en vaak grootmoedig. Vlamingen konden bij hem een potje breken.

Hij vertoefde graag onder zijn volk. Niet als de fraai uitgedoste keizer, voorafgegaan en gevolgd door een schitterende stoet van voorname heren en dames, maar als een gewone man, die dan ook vaak niet herkend werd.

Voor deze manier van optreden valt wel iets te zeggen. Een keizer heeft immers honderden raadgevers, secretarissen, legerbevelhebbers, lagere overheden, informanten en spionnen om zich heen. Het nieuws dat tot hem doordringt, moet door vele filters en bereikt hem vaak vervormd of vertekend door andere belangen.

Keizer Karel doorzag dit gevaar en wou dus uit de eerste hand weten wat er in zijn volk omging. En waar kon hij deze informatie beter halen dan bij het volk zelf?

Dat daaruit vaak grappige situaties voortvloeiden, was meegenomen. Want de keizer wás een grappig man. Hij schiep er het grootste genoegen in om mensen te bedotten en bij de neus te nemen.

Talrijk zijn dan ook de verhalen die het volk van Vlaanderen en Brabant over hem vertelt. De mensen koesteren deze anekdotes met een zekere tederheid, en hoe vaker ze verteld worden, hoe meer kleur ze krijgen.

Ik weet wel dat sommige lieden deze verhalen afdoen als verzinsels. Zij willen keizer Karel verkleinen tot een soort militair monster, dat veel onheil bracht en koppig vasthield aan verouderde ideeën over Kerk en Staat. Daarom heb ik dit boek geschreven. Van veel van wat hierna wordt verhaald, was ik een bevoorrechte getuige en vaak werd ik in de vrolijke complotten van de keizer zelf betrokken.

Ach, het was een mooie tijd ! Ik denk nog iedere dag aan mijn al te vroeg gestorven heer en meester. Daarbij dringen zich ook de laatste beelden op van een vermoeide man, die in 1555 in Brussel de macht overdroeg aan zijn zoon, Filips II, en tot tranen toe bewogen was. En hoe hij daarna in Vlissingen inscheepte om te vertrekken naar Spanje, waar hij in het klooster van San Yuste rust hoopte te vinden. Toen ik hem op de kade uitwuifde, wist ik dat ik hem nooit meer zou zien.

Die overdracht van de macht en dat droevige vertrek - het staat in mijn geheugen geëtst. Maar liever denk ik aan de dagen dat we samen door bossen en landouwen draafden, een pint dronken, ons in een landelijke herberg te goed deden aan kapoen of wildbraad en hoe hartelijk hij lachen kon !

Kerstmis 1569.
Willem de Lannoy, graaf van Hoogstraten.

Het domste dorp van Vlaanderen

IEDER land heeft wel zo'n dorp waarover men zich elders vrolijk maakt. Een dorp waar alleen maar domoren wonen.

In de noordelijke provincies van de Nederlanden doen wilde verhalen de ronde over de inwoners van Kampen, in de Duitse gebieden gniffelt men over de Schildburgers en in Vlaanderen zijn de Olenaars veruit de kampioenen van de domheid.

Als we op winteravonden in een beperkt gezelschap met de keizer bij de haard zaten, zei hij vaak : 'Messire de Lannoy, vertel nog eens iets over Olen !'

Ik had het allemaal al zo dikwijls verteld, maar ze konden er maar niet genoeg van krijgen, als kinderen die alsmaar hetzelfde verhaaltje willen horen.

'Maar majesteit, ik heb het al wel honderd keer verteld !'
'Hoe zat dat ook weer met die koe ?'
En dus vertelde ik het verhaal van de koe.

Op een dag stelden de Olenaars vast dat er gras groeide in de dakgoot van de kerk. De pastoor was er niet al te gerust in en zag in zijn verbeelding al een heel bos bovenop zijn tempel.

8

De Olenaars staken de koppen bij elkaar en beraadden zich over het probleem in de gelagzaal van *De Rode Stier*. Ze dronken vele pinten maar kwamen er niet uit. Tot de smid opeens zei : 'Wat eet er gras ?'
Ze keken hem allemaal lodderig aan.
'Een koe !' zei de molenaar opeens.
'Juist,' zei de smid. 'Een koe ! Een koe moet dat gras maar uit de dakgoot grazen !'
Tevreden met die oplossing gingen ze naar huis om te slapen.
De volgende morgen al zat de smid met zijn knecht hoog in de klokkentoren een forse katrol te installeren.
Er werd een koe aangevoerd en enkele sterke mannen klommen ook de toren op, om de smid bij te staan.
Die wierp een lang touw over de katrol tot beneden bij de koe. Behulpzame Olenaars grepen beneden het touw en legden het om de hals van de koe.
'Alles klaar ?' schreeuwde de smid, die zijn hoofd door één van de galmgaten stak.
'Trekken maar !' werd er van beneden teruggeschreeuwd.
De mannen in de toren begonnen met vereende krachten aan het touw te trekken en spartelend ging de koe langzaam de hoogte in.
De katrol piepte, de mannen boven in de toren zweetten en de koe draaide met haar ogen en kon weldra geen adem meer krijgen.
'Hoever zijn we al ?' vroeg de smid hijgend.
De knecht ging eens kijken.

9

De koe bengelde zowat halverwege de toren. Haar tong, die langzaam blauw werd, hing ver uit haar mond.
'Nog even, baas!' zei de knecht. 'Ze likkebaardt al!'

Na dat verhaal schaterde de keizer het telkens weer uit, tot hij de tranen in de ogen kreeg.
'En, De Lannoy, groeit er nog steeds gras op de kerk van Olen?'
'Dat weet ik niet, majesteit. Maar die dode koe zal het wel niet opgegeten hebben!'
Karel wiste met een zakdoek de tranen van zijn wangen en zei : 'Er was toch ook nog iets anders met die kerk aan de hand, of niet soms?'
'O ja, ze stond regelmatig onder water!'
'Ja, ja,' zei de keizer. 'Hoe zat dat ook alweer?'

Geregeld, en dan vooral in de winter, kwam er water in de kerk van Olen. En omdat de Olenaars niet van natte voeten hielden, zochten ze een oplossing voor dat probleem.
'Het is opstijgend grondwater,' zei de secretaris. 'De kerk is gewoon op een te lage plaats gebouwd.'
De Olenaars knikten somber.
'Ik weet het!' zei de smid. 'We moeten de kerk gewoon een paar meter hogerop duwen!'
De secretaris keek hem weifelend aan. 'De hele kerk verduwen, smid?'
'Als iedereen een handje toesteekt, is het zo gebeurd!' zei de smid.
De volgende dag werden alle mannen van Olen opgetrommeld om de kerk een zetje te geven. Zelfs de koster, een klein, schriel mannetje, kwam helpen. Hij trok alvast zijn jas uit en legde die vóór de deur van de kerk, want het was warm weer.
Aan de achterkant van de kerk spuwden de mannen van Olen eens in hun handen en op bevel van de smid zetten ze

hun schouders tegen de kerkmuur.
'Hup, één twee !' riep de smid. 'Hup, één twee !'
En al de mannen van Olen duwden eensgezind tegen de kerkmuur.
Toen ze zo'n tijdje bezig waren, hadden ze geen droge draad meer aan hun lijf.
'Koster,' zei de smid hijgend, 'ga vooraan eens kijken hoever we al opgeschoten zijn !'
De koster liep tot bij de voordeur van de kerk en stelde tot zijn verbazing vast dat zijn jas verdwenen was. Hij kon natuurlijk niet vermoeden dat een voorbijkomende bedelaar zich de jas had toegeëigend en er ijlings mee verdwenen was.
Als een haas rende de koster naar de andere kant van de kerk en schreeuwde : 'Stop maar mannen, stop maar ! We zijn ver genoeg ! Mijn jas ligt er al onder !'

Dit vond de keizer en zijn adellijk gezelschap een zo mogelijk nóg kostelijker verhaal.
'De Lannoy, de Lannoy !' zei hij dan telkens. 'Als het al niet waar is, dan is het toch goed gevonden !'
'Ik verzeker u, majesteit...'
'Je was er toch niet bij, de Lannoy ?'
'Ik vertel alleen wat ik zelf uit goede bron heb gehoord,' zei ik.
De keizer schudde zijn hoofd en verviel in gepeins. Ik zag dat hij ergens op broedde.
Niet zodra was het lente, of hij verzocht mij hem te vergezellen naar de streek tussen Herentals en Lier, waar hij op jacht wilde gaan.
Zijn voorstel was al te doorzichtig, maar ik zei er niets van.
Het vooruitzicht om een paar dagen alle beslommeringen van het hof achter me te laten, lokte me wel.
Toen we eenmaal in de Kempen waren, kwamen we natuurlijk op een middag in het dorpje Olen.

We stegen af bij de herberg *De Rode Stier*.
'Een frisse pint zal ons smaken, de Lannoy!'
Dat was ik met hem eens, want we hadden een stoffige rit achter de rug.
We gingen de herberg binnen. Achter de toog stond een dik, kaal kereltje, dat de baas van de zaak bleek te zijn.
'Twee grote pinten!' zei de keizer.
'Zeker, sinjeur!'
De man tapte twee tinnen bierkruiken vol Olense bruine. Het waren kruiken met één handvat en dat hield hij stevig beet.
Hij bood de keizer glimlachend de kruik aan. 'Alstublieft, sinjeur. De lekkerste bruine van uren in de omtrek!'
Keizer Karel keek wat beduusd naar de pint en wist niet hoe hij die moest aannemen, want de herbergier had het handvat nog steeds vast. Tenslotte pakte hij de kruik vanonder beet en vroeg : 'Heb je geen kruik met twéé oren?'
'Twee oren, sinjeur?' De waard keek hem aan alsof hij het in Keulen hoorde donderen. 'Dat heeft me nog nooit iemand gevraagd!'
'De keizer vraagt het!' zei Karel.
De waard keek hem aan en werd zo wit als een doek. Hij kon geen woord meer uitbrengen.
'Morgen kom ik terug,' zei keizer Karel. 'En wee je gebeente als er dan aan die kruik geen twéé oren zitten!'
Toen we wegreden, waren we het erover eens dat het Olense bier één van de beste was die we ooit hadden gedronken.
'Maar te weinig oren,' zei de keizer glimlachend.
In de dakgoot van de kerk, zagen we, was een jonge berk opgeschoten.
De volgende dag gingen we terug.
'En,' vroeg keizer Karel, 'hoe zit het met die pot met twee oren?'
De waard haalde stralend een kruik te voorschijn, waaraan inderdaad twee oren zaten. Die tapte hij vol en bood ze met

beide handen de keizer aan.

De keizer zuchtte. 'Hoe kan ik nu die kruik aannemen als je ze met beide oren vasthoudt?'

De waard keek hem hulpeloos aan. 'Ja,' zei hij, 'dat zou ik ook niet weten!'

'Goed,' zei keizer Karel. 'Ik kom morgen terug en dan wil ik drinken uit een kruik met drié oren!'

'Drie oren, majesteit? Jazeker, majesteit, het zal geschieden zoals u wenst!'

De volgende dag kwamen we terug en de waard toonde ons trots zijn kruik met drie oren. De smid was er de hele vorige avond zoet mee geweest.

De waard tapte de kruik vol, pakte ze met beide handen vast, hield het derde oor naar zich toegekeerd en bood ze de keizer aan.

Even leek de keizer sprakeloos. Toen pakte hij onder de kruik door het derde oor beet en zei: 'Eigenlijk zou er nog een vierde oor aan moeten, maar enige behendigheid is wel nodig als je dit edel bier wil drinken!'

Je kunt van de Olenaars zeggen wat je wilt, maar zó dom zijn ze toch ook niet! Want kort na ons bezoek liet de waard van *De Rode Stier* de naam van zijn herberg veranderen in *De pot van Keizer Karel*. Daar kwam van heinde en verre veel volk op af, vooral om de kruik met de drie oren te bewonderen. Die stond in een glazen kastje te pronken en af en toe mocht er zelfs iemand met gepaste eerbied uit drinken!

Vijf moeilijke vragen

DE prior van de Gentse Sint-Baafsabdij was zijn leven lang een goede vriend van keizer Karel.

Ze vingen elkaar graag vliegen af en als een van de twee de ander een peer kon stoven, twijfelde hij geen seconde.

Op een keer, toen keizer Karel weer eens op bezoek kwam, merkte hij tot zijn verbazing dat boven de abdijpoort een opschrift was aangebracht, dat hij nooit eerder had gezien. In fraaie letters stond daar gebeiteld :

Hier leeft men zonder zorgen !

Keizer Karel vond dit zo verwaand, dat hij er meteen met de prior over sprak. 'Wat is dat voor onzin boven die poort ?' vroeg hij. 'Het is een pure schande ! Terwijl er buiten je kloostermuren alleen maar kommer en kwel is, niet in de minste plaats voor je keizer, laat jij weten dat je hier een zorgeloos leventje leidt !'

'Ik bedoel natuurlijk niet de áárdse zorgen,' antwoordde de prior geschrokken. 'Door te bidden en boete te doen, bereiken wij hier inderdaad de hoogste vreugde.'

'Hm,' zei keizer Karel. 'Dat antwoord voldoet me niet ! Ik kom morgen terug en zal je vijf vragen stellen. Als je die

14

niet kunt beantwoorden, moet dat malle opschrift meteen verdwijnen!'

De prior zat erg met de zaak verveeld en dacht lang en diep over het probleem na. Ten slotte liet hij broeder-kok komen, die een wijs en verstandig man was. Hij legde hem de zaak uit en zei : 'Morgen komt keizer Karel terug. Verberg je goed in je pij en trek je monnikskap diep over je hoofd. Je moet de keizer doen geloven dat jij de prior bent. Begrepen?'

Broeder-kok knikte en ging meteen naar zijn cel om in afzondering te bidden voor het welslagen van het plan van de prior.

De volgende morgen stond keizer Karel al vroeg voor de abdijpoort. Hij werd ontvangen door broeder-kok, die zich meesterlijk had vermomd.

Keizer Karel had niets in de gaten en vroeg : 'Opgepast! Dit is de eerste vraag! Wat denk ik op dit ogenblik?'

De kok zei : 'Uwe majesteit denkt dat hij de prior van Sint-Baafs vóór zich heeft, maar ik ben de kok!'

'Aha!' zei keizer Karel. 'Goed gevonden, goed gevonden! Maar zo gemakkelijk kom je er niet vanaf! Op hoeveel tijd kan ik de wereld rondreizen?'

'Als uwe majesteit op de zon gaat zitten,' zei broeder-kok, 'in vierentwintig uur!'

'Hm,' zei keizer Karel. 'Hoe diep is de zee?'

'Een steenworp, majesteit!'

'Waar is het middelpunt van de aarde?'

'Vlak onder uw voeten, majesteit!'

Keizer Karel lachte een beetje zuur. 'Het venijn zit in de staart!' zei hij leep. 'Vertel me eens, hoeveel ben ik waard?' Broeder-kok aarzelde even. Toen zei hij : 'Judas verkocht Ons Heer voor dertig zilverlingen. Dus zou ik zeggen dat uwe majesteit negenentwintig zilverlingen waard is, want u zal nooit de glorie van de zoon van God kunnen evenaren!' Keizer Karel knikte ootmoedig. Dit was een lesje in nederigheid, zoals hij er nooit een gekregen had.

'Hier heb je je schitterend uit gered, broeder-kok !' zei hij. 'Doe de groeten aan de prior en zeg hem dat hij toch maar dat stomme opschrift laat verwijderen!'

En tot eer van de prior van Sint-Baafs moet gezegd worden dat dit ook gebeurde.

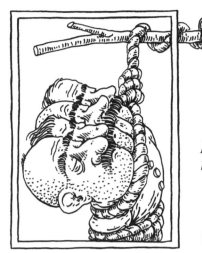

De vier dromende rovers

OP een mooie herfstdag
trokken de keizer en ik met een groot gevolg naar het Zo-
niënwoud, om er op jacht te gaan. Jagen was zijn lust en zijn
leven en hij greep iedere gelegenheid aan om een jachtpartij
te organiseren.
Nauwelijks waren we in het bos, of de keizer ging alleen
achter een mooi stuk wild aan en we verloren hem uit het
oog.
Aanvankelijk maakten we ons daarover weinig zorgen,
want de keizer was geen man om in zeven sloten tegelijk te
lopen.
Maar ondertussen was de keizer wel ver afgedwaald van de
andere jagers. Hij verloor zijn stuk wild uit het oog en
moest toen vaststellen dat hij zich in een deel van het woud
bevond waar hij nooit eerder was geweest. Hij was stom-
weg verdwaald!
Bij een bronnetje stapte hij af en drenkte zijn paard. Hij
luisterde naar de geluiden van het woud en hoorde van alles, behalve kreten of hoefgetrappel van zijn gezelschap.
Toch maakte hij zich niet ongerust want hij had de voorzorg
genomen om zijn hals een klein fluitje te hangen, waarop

hij in noodgevallen een schel signaal kon geven om zijn dienaren te waarschuwen.

Toen het paard genoeg gedronken had, leidde hij het aan de teugel door struikgewas dat alsmaar dichter werd, maar na enige tijd kwam hij toch op een breed bospad. Hij klom in het zadel en draafde het bospad af, tot hij op een open plek kwam, waar een klein huisje stond met een strooien dak. Eerst dacht de keizer nog dat hij bij de hut van een bos-wachter of een kolenbrander gekomen was, maar tot zijn verbazing merkte hij, dat bij de hut een uithangbord hing. Een herberg!

Keizer Karel aarzelde niet lang. Hij steeg uit het zadel, bond zijn paard bij de gevel vast en stapte naar binnen. Hij kwam in een lage en donkere gelagzaal. Aan een tafeltje za-ten vier mannen, waaronder de herbergier.

Vóór de keizer binnenkwam, waren de mannen in een druk gesprek gewikkeld, maar nu viel er een geladen stilte. Nieuwsgierig namen ze de vreemdeling op. Geen van hen kon vermoeden dat het de keizer was, maar aan zijn kleren merkten ze wel dat ze beslist niet met een schooier te maken hadden.

De herbergier kwam naar hem toe en vroeg wat hij wenste. De keizer bestelde een kruik bier en een paar boterhammen en begon met smaak te eten. Hij zou wellicht wat minder gerust geweest zijn als hij had geweten dat deze vier man-nen struikrovers waren, die het woud al jaren onveilig maakten.

De vier begonnen dan ook prompt fluisterend met elkaar te overleggen hoe ze met enige stijl de keizer van zijn beurs en fraaie kledij konden ontdoen.

Ten slotte meende een van hen het gevonden te hebben. Hij stond langzaam op, rekte zich uitvoerig uit, geeuwde en zei : 'Jongens toch ! Vannacht had ik zo'n gekke droom !'

'Wat heb je dan gedroomd ?' vroegen de anderen in koor.

'Ik droomde dat hier een rijke sinjeur binnenkwam. Die

had zo'n mooie hoed op, dat ik niet aan de verleiding kon weerstaan om hem die af te pakken !' Hij stapte op keizer Karel toe, pakte de hoed van zijn hoofd en zei : 'En nu is mijn droom in vervulling gegaan !'

De keizer zei niets, nipte van zijn bier en wachtte op wat komen zou.

De tweede rover stond op en zei : 'Ik heb net hetzelfde gedroomd, hoe gek dat ook mag klinken ! Maar ik was niet uit op de hoed van de sinjeur, maar op zijn mantel !' Hij pakte de mantel van de keizer en verdween naar zijn tafeltje. En nog steeds zei de keizer geen woord.

De derde rover zei : 'We hebben blijkbaar allemaal hetzelfde gedroomd ! Ik droomde dat hier een rijke sinjeur binnenkwam en dat ik hem zijn beurs afpakte !' En hij liep op keizer Karel toe, haakte de beurs van zijn gordel en liep ermee naar achter in de herberg.

Het was zo langzamerhand tot keizer Karel doorgedrongen dat hij in een rovershol was terechtgekomen. Bang was hij niet, alleen nieuwsgierig naar wat de vierde rover wel gedroomd kon hebben.

Daar moest hij niet lang op wachten. De man kwam al naar hem toe. Hij had allang het fluitje in de gaten dat keizer Karel aan een gouden ketting om zijn hals droeg. Hij boog zich naar de keizer toe, pakte het fluitje vast en zei : 'En ik heb gedroomd dat ik deze heer dit fluitje afhandig maakte !'

'Goed,' zei de keizer, 'maar laat ik je dan eerst eens tonen hoe het werkt !'

Hij ging in de deuropening staan, zette het fluitje aan zijn mond en blies zo hard hij kon.

Geen vijf minuten later arriveerden we met de eerste dienaars van de keizer op de open plek.

'De Lannoy,' zei de keizer tegen mij, 'je moet eens binnen komen kijken ! Er is hier vannacht zo raar gedroomd !'

Ik ging met de keizer mee naar binnen. Die ging voor de vier rovers staan en zei : 'Ook ik heb vannacht gedroomd !

Ik droomde dat ik vier struikrovers aan de hoogste bomen van het woud liet ophangen !'
En hoe de rovers ook baden en smeekten, de droom van keizer Karel kwam uit !

Adam en Eva

OP een mooie herfstmorgen verliet keizer Karel zijn paleis in Brussel om een flinke wandeling op het platteland te gaan maken.

Na een uurtje stevig stappen, kwam hij bij een kleine akker, waar zich een merkwaardig schouwspel afspeelde. Door de weerbarstige grond trok een boer een zware ploeg voort. En achter de ploeg liep zijn vrouw, die haar best deed om het gevaarte zo goed mogelijk te besturen.

Keizer Karel, die zich schuilhield achter wat struiken, keek een tijdje vol verbazing naar het rare tafereel.

Opeens gooide de boer het touw van zijn schouder en ging uitgeput op de grond zitten. 'Vrouw,' zei hij, 'zie me hier nu zitten ! Ik ben begonnen met een paard, en toen ik dat paard niet meer te eten kon geven, ploegde ik met een os. En toen we ook de os nog moesten wegdoen... De wereld is onrechtvaardig ! Anderen leven in weelde, terwijl ik zelfs nog geen os kan onderhouden. Talloze lieden wonen op grote boerderijen, in fraaie huizen, sommigen in paleizen, terwijl wij een stal betrekken waarin een deftige zeug zelfs nog geen biggen zou willen krijgen !'

De vrouw knikte meewarig.

'Het is allemaal de schuld van de vrouwen, Anna !' riep de boer bitter uit.

'De vrouwen ?' vroeg de vrouw dreigend. 'Wat bedoel je daarmee, Jacob Claeszoon ?'

'Het staat in de bijbel !' zei de man. 'Vroeger, lang geleden, leefden de mensen in het aards paradijs. Ze hadden genoeg te eten en te drinken, ze hoefden niet te werken en het lam sliep vredig naast de leeuw.'

'En toen, Jacob Claeszoon ?'

'Toen liet Eva Adam in de appel bijten, hoewel God dat nog zó verboden had,' zei Jacob, 'en het schone liedje was uit !'

'Het was toch maar Adam die beet !' antwoordde de vrouw snibbig.

'Iedere keer dat ik in een appel bijt, moet ik daaraan denken,' zei de boer dromerig. 'Stel je eens voor, Anna, dat jij en ik in het paradijs woonden ! Alle dagen wildbraad, patrijzen en hazen en eenden. En vruchten zoveel je wilt. Kersen en pruimen en peren en... van alles ! Je zou me nog honderd appels mogen geven, ik zou wel wijzer wezen ! Wat is nu een appel ? Die kan je toch gemakkelijk uit je hoofd zetten als alle dagen de gebraden kippen in je mond komen vliegen !'

Op dat moment kwam keizer Karel achter het struikgewas vandaan en zei : 'Goedemorgen, brave lieden !'

Anna en Jacob keken hem bevreemd aan.

'Ik heb jullie verhaal gehoord,' zei de keizer. 'Zouden jullie echt terugwillen naar het aards paradijs ?'

'Voor de poort van het paradijs staat een engel met een vlammend zwaard,' zei de boer. 'Niemand komt er nog in !'

'Nee,' zei keizer Karel, 'dat is waar. Maar ik ben toevallig de keizer.'

'De keizer !' Het brave boerenpaar keek hem geschrokken aan.

'Ik heb evenmin toegang tot het paradijs,' zei Karel. 'Maar ik kan jullie wel alles geven wat jullie hartje begeert. Op één voorwaarde !'

22

'We gaan er op voorhand mee akkoord,' zei de boer.
'Kom dan maar met me mee!' zei keizer Karel.
En hij vergezelde hen naar het paleis. Daar kregen ze een warm bad, mooie kleren en een prachtige slaapkamer met een zalig-zacht bed met gordijnen. De tafel stond altijd gedekt met de fijnste spijzen en dranken.
In het midden van die tafel stond steeds dezelfde zilveren schaal, afgesloten met een deksel. 'Van die schaal moeten jullie afblijven,' had de keizer gezegd. 'Als je ook maar éénmaal het deksel oplicht, is het gedaan met de pret. Goed begrepen?'
'Er staat toch al zoveel lekkers op tafel!' had Anna verrukt gezegd.
'Waarom zouden we dan nog de behoefte hebben om dat ene deksel op te tillen?' vroeg de boer.
Keizer Karel had fijntjes geglimlacht en was zonder een woord te zeggen verdwenen.
De eerste paar weken ging alles goed en leefden Jacob en Anna als in een droom. Alles wat ze wensten, kregen ze, alles wat ze deden, werd goed gevonden en dag en nacht stond er een legertje lakeien en koks voor hen klaar. Zelfs Jacobs rugpijn, waarover hij al jaren klaagde, verdween als bij toverslag.
Maar op een dag begon Anna te piekeren over de geheimzinnige zilveren schaal. En 's avonds sprak ze er in bed met Jacob over.
'Zeg, Jacob,' zei ze, 'wat zou er eigenlijk in die schaal zitten?'
'Och,' zei Jacob, 'kan je dat wat schelen? Je hebt toch alles wat je hartje begeert?'
'Ik vind het toch een beetje flauw van de keizer,' zei Anna pruilend, 'dat hij net die ene schaal voor ons gesloten wil houden!'
'Daar zal de keizer dan wel zijn redenen voor hebben,' zei Jacob. 'Hou nu op met zeuren over die schaal en slaap!'
Maar een paar dagen later, toen ze aan het middagmaal zaten,

begon Anna er opnieuw over. 'Ik hou het niet meer uit !' zei ze. 'Ik vind het vreselijk om aan een tafel te moeten eten met altijd die ene schaal die je niet mag openmaken ! Zouden we niet héél eventjes kunnen kijken, Jacob, wat er onder het deksel zit ? Daar zal de keizer toch niets van merken ?'

Jacob zuchtte diep. 'Ach mens,' zei hij, 'je bent oud en wijs genoeg om te doen en te laten wat je wilt !'

'Ik doe het !' riep Anna. 'Ja, ik doe het. Heel voorzichtig !'

Met trillende handen liep ze naar de schaal en lichtte het deksel op. Zodra ze dat gedaan had, sprong een klein wit muisje te voorschijn. Het trippelde vliegensvlug over de tafel, sprong op de vloer en verdween door een gaatje in de muur.

'Kijk nu wat je gedaan hebt !' schreeuwde Jacob. 'Hoe krijgen we die muis ooit terug in de schaal ?'

Ze gingen beiden op hun knieën bij het gaatje zitten en probeerden met alles en nog wat de muis te lokken. Maar niets hielp.

Toen kwam keizer Karel binnen. Hij keek naar Jacob en Anna, die bij het muizengaatje zaten en liep toen naar de schaal om het deksel op te lichten.

'Zo zie je,' zei de keizer. 'Jullie zijn geen haar beter dan Adam en Eva. Ga maar terug naar jullie akkertje en werk maar weer in het zweet van jullie aanschijn !'

En zo gebeurde.

De Ieperse kinderen

KEIZER Karel was met een groot gevolg op bezoek in de welvarende stad Ieper.
De burgemeester en de schepenen leidden hem trots rond door het mooie stadscentrum en uiteraard ook door het stadhuis.
Keizer Karel was onder de indruk.
'Een fraai optrekje,' zei hij tegen de burgemeester terwijl ze een koel glas wijn dronken in de schepenzaal.
De burgemeester boog.
Keizer Karel keek nog eens rond, sprak lovende woorden over de prachtige wandtapijten en zei opeens : 'Ik zou het wel willen hebben !'
De burgemeester dacht dat hij het niet goed begrepen had en vroeg : 'Wat bedoelt uwe majesteit ?'
'Dit stadhuis,' zei keizer Karel, 'is echt een keizerlijk verblijf. Ik wil het wel hebben.'
De burgemeester verslikte zich in de wijn, begon te hoesten en vroeg toen met verstikte stem : 'Maar majesteit, dat kunt u toch niet menen ?'
'En of ik het meen !' zei keizer Karel. 'Of is het soms te veel gevraagd dat de keizer kan beschikken over een waar-

25

dige residentie wanneer hij deze streek bezoekt ?'

De burgemeester en zijn schepenen konden geen woord uitbrengen.

De keizer leegde zijn glas, stond op, en zei welgemoed : 'Slaap er maar eens een nachtje over ! Morgen kom ik terug om uw antwoord te vernemen !'

De burgemeester en de schepenen bleven verslagen achter in de schepenzaal.

'Hij wil het stadhuis hebben ! Ons stadhuis !' zei één van de schepenen. 'Dat is toch bespottelijk ? Hoeveel keren komt hij in deze verre uithoek van het land ?'

'Hij maakt een grapje,' meende een andere schepen.

'Ja, die grapjes van Karel kennen we !' zei de burgemeester bitter. 'Als we hem het stadhuis niét geven, laat hij ons misschien wel opknopen. En als we het hem wél geven, zullen we ons de woede van alle Ieperlingen op de hals halen.'

Ze vervielen in somber gepeins. Geen van beide mogelijkheden leek hen aantrekkelijk.

Ze lieten meer wijn aanrukken en ze vergaderden tot 's avonds laat, maar ze kwamen er niet uit.

Ten slotte sloot de burgemeester de vergadering en sprak de wijze woorden : 'De nacht brengt raad !' Alhoewel hij dat zelf niet geloofde.

Ze stommelden naar buiten en stonden nog een ogenblik te kijken naar hun prachtige stadhuis. En ze kregen de tranen in de ogen.

Zonder nog een woord te zeggen, gingen ze naar huis.

Als een geslagen hond sloop de burgemeester zijn huis binnen. Zijn vrouw was al gaan slapen. Hij pookte het vuur in de haard op en schonk zichzelf een glas brandewijn in. Hij keek somber in het vuur en de wildste gedachten spookten door zijn hoofd. Misschien kon hij morgen het stadhuis maar beter aan keizer Karel geven en meteen verhuizen, ver weg van zijn geliefde stad. Of was dit alleen maar een wrede grap van de keizer, om hen op de proef te stellen ?

26

Zuchtend dekte hij tenslotte het vuur af in de haard en klom in de echtelijke bedstee. Maar hij kon de slaap niet vinden en lag zo te woelen, dat zijn vrouw er wakker van werd.

'Klaas, wat is er toch ? Hoe was het met de keizer ?'

'Hij wil het stadhuis, Marie !'

Zijn vrouw ging recht overeind in bed zitten.

'Klaas, je hebt gedronken !'

'Natuurlijk heb ik gedronken ! Je zou van minder ! Maar ik ben zo nuchter als wat ! De keizer wil voor zichzelf een paleis in Ieper. En hij wil het stadhuis hebben !'

'Maar waar gaan jullie dan vergaderen ?'

De burgemeester lachte schril. 'In een herberg. Of in de zomer onder de bomen, buiten de stadswallen, in het open veld.'

Marie dacht na. 'Hij maakt misschien een grapje !'

'Dat zei een van de schepenen ook al,' zei de burgemeester vermoeid. 'Maar je weet het maar nooit met keizer Karel. Het is een grillig man.'

'Ik weet het !' riep Marie opeens. 'De oplossing !'

De burgemeester steunde. 'Marie, we hebben de hele avond vergaderd met de meest wijze mannen van Ieper en we zijn er niet uitgekomen. Hoe zou jij dan...'

Marie boog zich liefdevol naar haar echtgenoot en fluisterde hem iets in het oor.

De burgemeester wist niet wat hij hoorde.

'Fantastisch, Marie !'

'Gezond vrouwenverstand,' zei Marie.

En toen vielen ze allebei tevreden in slaap.

De volgende morgen zaten de schepenen en de burgemeester in de schepenzaal. De gezichten waren grauw en stonden somber, behalve dat van de burgemeester : die straalde.

'Laat hem maar komen !' zei hij zelfverzekerd. 'Ik zal dat varkentje wel even wassen !'

'Heb jij een oplossing, burgemeester ?'

'De nacht bracht raad,' zei de burgemeester geheimzinnig, en meer wou hij er niet over kwijt.

Buiten kondigde een trompet het naderen van de keizer aan. Die kwam de schepenzaal binnen en vroeg : 'Wel, mijne heren ? Wat hebt u beslist ?'

'Majesteit,' zei de burgemeester, 'het stadhuis is van u !'

De schepenen staarden hun burgemeester aan en dachten dat hij gek geworden was.

'Neem het stadhuis maar mee, majesteit,' zei de burgemeester, 'en zet het ergens anders neer, zodat we op de vrijgekomen grond een ander stadhuis kunnen bouwen !'

De oren van de schepenen tuitten.

De keizer grijnsde. 'Goed gevonden !' zei hij zuur. 'Heeft de nacht die raad gebracht ?'

'Het was een idee van mijn vrouw,' zei de burgemeester ootmoedig.

'Zo zie je maar,' zei keizer Karel. 'De vrouwen van Ieper zijn de wijste van het hele land ! Ik kan uw stadhuis natuurlijk niet meenemen, maar het is duidelijk dat u uw vrouwen onderschat ! Kinderen bent u ! Honden aan een leiband. Ik veroordeel u tot het dragen van een leiband, te eeuwigen dage !'

Maar dat hadden de burgemeester en schepenen van Ieper er graag voor over.

De driedubbele keizer

OP een late avond kwam keizer Karel terug van de kermis van Ukkel. Hij had geen haast om naar zijn paleis in Brussel terug te keren, want de nacht was warm en zwoel. De keizer genoot van de zware geuren die overal opstegen, van het gefladder van de vleermuizen en het gekras van de uilen, die wakker waren geworden en zich voorbereidden op de jacht.

Bovendien hield hij geamuseerd een hellebaardier van de keizerlijke wacht in de gaten, die langzaam voor hem uitliep.

De hellebaardier schoot niet erg op. Hij zwijmelde van de ene kant van de weg naar de andere, en soms bleef hij staan om met dubbele tong een onzichtbaar iemand vermanend toe te spreken. Het was duidelijk dat de soldaat veel te diep in het glas had gekeken.

Zo kwamen ze bij de rand van een groot bos, waar nog een herberg open was. Zonder aarzelen zwijmelde de hellebaardier naar de deur en stapte naar binnen.

Het duurde niet lang of de deur zwaaide weer open. De waard van de herberg had de hellebaardier stevig vast en gooide hem zonder veel plichtplegingen op het bospad.

'Dit is een deftige gelegenheid, soldenier!' zei hij. 'Ik tap niet voor ladderzatte kerels zoals jij!' En met een klap sloeg hij de herbergdeur achter zich dicht.

De keizer snelde op de hellebaardier toe, die vergeefs overeind probeerde te krabbelen. Hij pakte hem onder zijn oksels en zei : 'Kom, geef me maar een arm, dan schieten we wat vlugger op! Van hier tot in Brussel zijn er nog herbergen genoeg waar we een pint kunnen drinken. Ik betaal!'

De hellebaardier keek de keizer lodderig aan, hikte verschillende keren en zei : 'Ha nee! Ieder om de beurt! Zo hoort het, als twee maten samen op stap gaan!'

'Goed,' zei keizer Karel met een glimlach. 'Ieder om de beurt!'

Ze liepen arm in arm onder de volle maan over het brede bospad tot bij de volgende herberg.

Keizer Karel betaalde er prompt het gelag.

In de tweede herberg was het de beurt aan de soldaat om te betalen, maar hij keek argwanend de gelagzaal rond en fluisterde : 'Betaal jij nu maar. Ik heb alleen maar groot geld bij en dat zou sommige lieden wel eens op vreemde gedachten kunnen brengen! Ik betaal je straks wel terug!'

De keizer vroeg om de rekening.

Zo sukkelden ze naar Brussel en in iedere herberg waar nog licht brandde, gingen ze naar binnen. En telkens als het op betalen aankwam, had de hellebaardier wel een smoesje klaar om niet zelf te hoeven afrekenen.

Toen ze aan de poorten van Brussel kwamen, bleef de keizer staan.

Ondertussen was de hellebaardier zó dronken geworden, dat hij alles zowat driedubbel zag.

'Ik krijg twee florijnen van jou!' zei de keizer. 'Betaal me nu maar. Hier kan niemand zien welk groot geld je bij je hebt!'

'Nee, nee,' zei de hellebaardier. 'Geen sprake van! Ik heb veel te diep in het glas gekeken en ik zou je gemakkelijk te veel kunnen betalen. Kom het morgen maar eens halen, maat!'

'Afspraak is afspraak!' zei de keizer ferm. 'En morgen zou je wel eens onvindbaar kunnen zijn!'

De hellebaardier keek gekwetst. 'Dit,' zei hij, 'is het uniform van de keizerlijke wacht. Zou een grote heer als de keizer het ooit in zijn hoofd halen om oneerlijke lui in dienst te nemen?'

'En ik,' zei keizer Karel, 'ik ben de keizer zelf!'

De hellebaardier keek hem oplettend aan. Op zijn gezicht was er geen spoor van angst of verwondering. 'Nu je het zegt,' zei hij langzaam. Hij grinnikte. 'Ik tel niet één, niet twee, maar wel drié keizers! Laten we eens even een rekensommetje maken. De keizer is al meer dan een maand achter met het betalen van onze soldij. Ik krijg van elke keizer dus nog tien florijnen, dat is samen dertig. En ik ben aan iedere keizer twee florijnen schuldig, samen zes. Ik krijg van jullie dus vierentwintig florijnen!'

De keizer wist niet of hij moest lachen of kwaad worden. 'Het bier tast blijkbaar je rekenvermogen niet aan,' zei hij met een scheve grijns. Hij tastte in zijn beurs, betaalde de hellebaardier uit en bracht hem naar zijn slaapkwartier.

De diefstal

ZℐℐⱼN leven lang was kei-
zer Karel dol op klokjes, uurwerken en allerlei astronomi-
sche meetinstrumenten.

Je kon hem geen groter plezier doen dan hem een klokje te
schenken dat hij nog niet kende, en in de loop van de jaren
had hij een grote verzameling opgebouwd.

Ieder vrij moment was hij met zijn klokjes in de weer. Hij
poetste ze, smeerde met fijne olie het binnenwerk. Hij kon
maar niet genoeg krijgen van de wondere ijver van de rader-
tjes en veertjes, die de tijd gestaag wegtikten en om het uur
of sommige zelfs om het halfuur of het kwartier, zachtjes
klingelden.

Op een morgen had de keizer zijn hele verzameling uitge-
stald op een grote tafel in zijn bureau. Hij was een hele tijd
zoet met het opwinden en gelijkstellen van al zijn klokjes.
Van dat werk ging een wonderlijke rust uit en het bezorgde
hem een vreemd genoegen.

Op een bepaald moment werd hij tot zijn lichte ergernis
weggeroepen voor een zaak die geen uitstel duldde. Toen
hij eindelijk terugkwam, merkte hij meteen dat één van zijn
lievelingsklokjes spoorloos verdwenen was !

32

De keizer was in alle staten. Voor iedereen die aan het hof verbonden was, had hij zonder aarzelen zijn hand in het vuur durven steken. En nu bleek dat er zich onder die mensen een gemene dief bevond!

Hij dacht even diep na en trok toen aan het schellenkoord. Een lakei verscheen.

'Uwe majesteit?'

'Laat meteen alle hovelingen en dienaren naar de grote zaal van het paleis komen!' zei keizer Karel.

De lakei keek even verbijsterd naar zijn meester, kreeg zijn gezicht toen weer in de plooi en antwoordde: 'Zeker, majesteit!'

Geen vijf minuten later was iedereen bijeen in de grote zaal, van de hoogste raadsheer tot het laagste wasmeisje. Ze roezemoesden druk onder elkaar. Vooral de dief, die zich onder hen bevond, was er niet gerust in. Want hij had niet eens de tijd gekregen om het gestolen kleinood ergens veilig op te bergen. Het zat nog steeds in zijn zak!

Toen de keizer binnenkwam, werd het doodstil.

Met zijn handen op zijn rug liep hij heen en weer voor de verzamelde mensen. Je kon een speld horen vallen.

Keizer Karel schraapte zijn keel en zei: 'Tot mijn groot verdriet, is er onder jullie een dief!'

Een gedempt gemompel steeg onder de aanwezigen op.

'Eén van mijn mooiste klokjes is geen uur geleden uit mijn bureau gestolen,' zei de keizer. 'Wie dat gedaan heeft, kan nu naar voren treden en dat rustig toegeven. Hem of haar zal niets gebeuren.'

Niemand in de zaal verroerde.

Niemand sprak een woord.

Keizer Karel keek hen allemaal aan.

'Goed,' zei hij, 'ik heb de tijd!' En hij ging uiterlijk rustig in een zetel zitten. Hij dacht diep na. Toen liet hij de mensen één voor één naar voren komen om hen te ondervragen. Waar ze de paar uren daarvoor waren geweest. Waarmee ze zich bezig hadden gehouden. Hij hoopte dat de dief zich zou verraden door hevig te gaan blozen of te stotteren of hem niet recht in de ogen zou durven kijken.

Maar toen de dief aan de beurt was, wist die zijn gezicht perfect in de plooi te houden. Hij keek de keizer recht en vrijmoedig in de ogen en gaf een behoorlijk antwoord op alle vragen die de keizer stelde. Maar toen hij terug naar zijn plaats mocht gaan, ontging het de keizer niet dat er uit zijn broekzak een licht knersend geluid kwam.

'Wacht eens even !' zei keizer Karel.

De dief keerde verbaasd op zijn stappen terug.

'Kom,' zei de keizer Karel, 'geef het klokje nu maar aan mij !'

'Majesteit,' zei de dief, 'ik zweer op het hoofd van mijn moeder-zaliger dat ik het niet heb !'

'Dat zijn dure eden !' zei keizer Karel. En voor de tweede keer voegde hij eraan toe : 'We hebben de tijd !' Hij haalde uit zijn zak een ander klokje uit zijn verzameling en zette het op een laag tafeltje naast zijn zetel. Het was vijf voor elf.

Om klokslag elf uur begon het klokje op het tafeltje te slaan, maar ook nog een ander klokje sloeg. In de broekzak van de dief !

De man liep rood aan, viel op zijn knieën en smeekte: 'Genade, majesteit ! Ik...'

'Het zit in zijn rechterbroekzak,' zei de keizer. 'Haal het eruit en breng hem daarna weg ! Hij mag in een cel een tijdje nadenken over het hoofd van zijn moeder-zaliger !'

Iedereen haalde opgelucht adem.

'Steel nooit iets wat tikt en het uur slaat !' besloot keizer Karel. En met het dierbare klokje in zijn handen verliet hij de grote zaal.

De keizerlijke raap

DE mooiste rapen groeien in het Waasland en de Waaslanders zijn daar fier op. Kijk maar naar de wapenschilden van de Waaslandse gemeenten. Er prijkt bijna altijd een raap in.

Nu was er eens een arm boertje uit het Waasland, dat Klaas heette en dat op een dag op zijn akker een reuzenraap aantrof. Hij rooide de rapen die in de nabijheid van de reuzenraap groeiden, om haar meer ruimte te geven. Van dag tot dag nam de raap in omvang toe.

'Dit,' zei Klaas op een avond tot zijn vrouw, 'is een keizerlijke raap!'

'Wat bedoel je, een keizerlijke raap?'

'Niemand,' zei Klaas, 'heeft ooit zo'n raap gekweekt! Ik ga ze de keizer aanbieden!'

'Jij bent gek, Klaas Jacobszoon!' zei de vrouw. 'Van zo'n raap kan onze koe dágen eten!'

Maar Klaas liet zich niet ompraten.

Op een vroege morgen groef hij de raap uit, laadde haar niet zonder moeite op zijn kruiwagen en liep ermee naar Brussel, naar het paleis van de keizer.

Bij de poort stond een blozende kapitein van de wacht, die

hem tegenhield en zei : 'Ho, ho ! Waar gaat dat heen ?'
'Dit is een reuzenraap,' zei boer Klaas. 'En ik wil ze de keizer aanbieden.'
'De keizer ?' De kapitein van de wacht bulderde van het lachen. 'De keizer heeft wel andere dingen aan het hoofd !'
'Ik moét ze de keizer aanbieden,' zei boer Klaas koppig. 'Het is de grootste raap die een mens in zijn leven ooit gezien heeft !'
De kapitein van de wacht keek naar de raap en moest toegeven, het was me de raap wel.
'Goed,' zei hij na enig nadenken. 'Ik zal je bij de keizer laten aandienen. Op één voorwaarde !'
'En dat is ?' vroeg boer Klaas.
'De keizer is onberekenbaar,' zei de kapitein van de wacht duister. 'Of hij laat je eruit gooien, óf je krijgt een fikse beloning !'
'Ik ben niet op beloningen uit,' zei boer Klaas. 'Ik wil hem alleen de reuzenraap cadeau doen !'
De kapitein van de wacht kreeg een sluw trekje om zijn mond. 'Boertje,' zei hij, 'ik laat jou er alleen in als je de beloning met mij deelt !'
Boer Klaas dacht even na en zei toen : 'Dat is afgesproken !'
Even later reed hij met zijn kruiwagen de troonzaal binnen, waar keizer Karel op zijn troon zat. Hij keek verbaasd naar de reuzenraap en zei : 'Zo'n grote raap heb ik van heel mijn leven nog niet gezien !'
'Daarom is ze voor u, majesteit !' zei boer Klaas. 'Het is een keizerlijke raap !'
'En hoeveel moet ze kosten ?'
'Ze kost niets,' zei boer Klaas. 'Ik schenk ze u !'
'Komkom !' zei de keizer. 'Je ziet er niet uit alsof je het breed hebt !'
'Och,' zei boer Klaas. 'We redden ons wel, mijn vrouw en ik !'
'Boer Klaas,' zei keizer Karel, 'ik kan dit geschenk niet

aanvaarden zonder dat daar enige beloning tegenover staat.'

Boer Klaas dacht na. 'Majesteit,' zei hij, 'ik wil twee kaakslagen!'

'Twee kaakslagen?' vroeg keizer Karel verbijsterd.

Boer Klaas knikte.

De keizer kwam van zijn troon en gaf boer Klaas twee kaakslagen.

Waarop boer Klaas tevreden de troonzaal uitliep.

De keizer zei tegen mij : 'De Lannoy, ga meteen achter die man aan!'

Ik volgde op een afstandje boer Klaas, die over het binnenplein liep en ik hoorde al van ver de kapitein van de wacht roepen : 'En boertje? Heb je wat gevangen?'

'Ja,' zei boer Klaas. En hij gaf de kapitein van de wacht zo'n enorme muilpeer dat hij helemaal onderuit ging. Andere soldaten snelden toe en het zag er eventjes héél ernstig uit voor boer Klaas.

'Laat hem los!' riep ik.

'Messire de Lannoy!' Ze deinsden eerbiedig achteruit en ik vroeg : 'Boer Klaas, wat is hier aan de hand?'

'De kapitein wou mij er alleen maar inlaten als ik de beloning met hem deelde,' zei boer Klaas.

'Kom maar mee!' zei ik. En ik liep samen met hem terug naar de troonzaal, waar ik de keizer op de hoogte bracht van wat er was gebeurd.

De keizer glimlachte en zei : 'Laat boer Klaas honderd gouden dukaten brengen. En die hoeft hij met niemand te delen!'

'Majesteit,' stamelde boer Klaas. 'Honderd gouden dukaten?'

'Dat is de raap mij wel waard!' zei keizer Karel.

Even later liep boer Klaas het paleis uit met zijn kruiwagen, waarin een leren zak lag met honderd dukaten. Honderd dukaten! Hij kon het niet geloven!

En toen hij 's avonds laat thuiskwam, zei hij : 'Vrouwtje!

We zijn rijk ! Honderd dukaten ! We gaan de hoeve verbouwen. En we kopen een paard en meer akkerland en koeien en...'

Maar vrouwen kunnen niet zwijgen.

Als een lopend vuurtje verspreidde zich in het dorp het bericht dat Klaas met zijn reuzenraap zo welvarend was geworden.

De rijkste boer van het dorp, Grijp, knarsetandde. Hij bezat uitgestrekte akkers en weiden, vele koeien en varkens, kippen en geiten. En een paardenstal, die iedereen in de wijde omtrek hem benijdde. 'Honderd dukaten voor een onnozele raap !' zei hij. 'Wat zou de keizer dan wel geven voor het beste paardenveulen dat ik op stal heb staan ?'

Op een morgen vertrok hij met zijn mooiste jonge paard naar het paleis van keizer Karel. Hij had zich in zijn beste pak gestoken en de kapitein van de wacht, die zijn lesje geleerd had, liet hem er zomaar in. Hoe raspaarden eruitzien wist hij allang en onlangs had hij geleerd hoe het voelt om een muilpeer te krijgen van een Wase boer.

Boer Grijp ging naar de keizer en zei : 'Majesteit, ik weet dat u erg veel van paarden houdt. Dit is het prachtigste veulen dat ik ooit heb gekweekt !'

De keizer bekeek het veulen en zei : 'Voorwaar, boer Grijp, dit is een schitterend dier !'

'Dat zou ik geloven, majesteit ! Ik schenk het u, uit heel mijn hart ! Moge het u voeren naar talloze overwinningen !'

'Boer Grijp,' zei keizer Karel, 'hoe kan ik u belonen voor dit geschenk ?'

'Och,' zei boer Grijp. 'Zoals het uwe majesteit belieft !'

'Goed !' zei keizer Karel. 'Boer Grijp, ik zal u schenken wat mij het meest dierbaar is. Ik heb er honderd dukaten voor betaald !'

Boer Grijp hapte naar adem. Honderd dukaten ! Honderd gouden vinkjes, met de beeltenis van de keizer zélf erop !

Vanachter de troon werd een kruiwagen voorgereden, met

de raap van boer Klaas erop. 'Dit,' zei keizer Karel, 'is het kostbaarste wat ik in huis heb ! Wees er gelukkig mee !'
En boer Grijp kreeg de kruiwagen met de reuzenraap, en onderweg naar huis zweette hij zich een ongeluk.

Keizer voor één dag

MISSCHIEN wel één van de meest geslaagde grappen die ik samen met de keizer heb uitgehaald, was die met tapijtwever Pieter Leunis.

De eerste keer zag ik hem op een late zomeravond, toen ik op de Grote Markt van Brussel de herberg *De Zwaan* binnenstapte. Het was een drukke dag geweest op het paleis en ik wou in alle rust een slaapmutsje gaan halen.

Waarom ik juist *De Zwaan* binnenstapte en niet één van de talloze andere herbergen van Brussel? Ik weet het niet meer. Soms steekt het toeval een handje toe. Of bestaat toeval niet?

In ieder geval, toen ik de herberg binnenstapte, was Pieter Leunis een beetje boven zijn theewater. Hij stond bovenop een tafel en hield een soort toespraak. Normaal was hij een man van weinig woorden, maar het bier had zijn tong losgemaakt.

'Vrienden,' zei Pieter Leunis, 'het is zo langzamerhand genoeg geweest! Ik ben maar een arme tapijtwever, die werkt van de vroege ochtend tot de late avond om een schrale boterham te verdienen! En ik ben getrouwd met een kijvend wijf, dat maar niet begrijpt waarom we er niet op vooruit-

40

gaan. En waarom gaan we er niet op vooruit ? Ik zal het jullie zeggen ! We gaan er niet op vooruit omdat we uitgezogen worden ! Uitgezogen door de notabelen van de stad, ja, uitgezogen door de keizer zelf !'
De aanwezigen klapten wild in de handen en Pieter Leunis kreeg een verse kruik bier aangereikt, ja, zelfs meer dan één.
'Dat zit maar op zijn luie krent in het paleis,' zei Pieter Leunis. 'Een beetje rechtertje spelen, een beetje oorlog voeren, een beetje smoezelen met mooie hofdames ! En voor de rest van de tijd verzint hij nieuwe belastingen. Daar is ons Kareltje héél vindingrijk in, in het verzinnen van nieuwe belastingen ! Want hij heeft niet alleen een gat in zijn hand, hij heeft een nog veel groter gat in zijn schatkist !'
Pieter Leunis nam een grote slok van zijn pint. 'Hoe word je keizer ?' vroeg hij. 'Je wordt keizer omdat je uit de broek van een koning of een keizer bent geschud, zo simpel is het ! En omdat je daarna de Duitse vorsten en de paus hebt omgekocht, met véél, heel véél geld ! Terwijl ik... Ik ben uit de broek geschud van een arme tapijtwever die óók al een kijvende vrouw had ! Tapijtwevers vallen op kijvende vrouwen en het werk dat uit hun handen komt, siert de zalen van de hoge heren die hen uitzuigen ! Mag ik dan misschien één keer per week een pintje drinken en morgen haarpijn hebben ?'
Er werd gelachen en gejoeld. Pieter Leunis dronk in één machtige slok zijn pint leeg en kreeg meteen een nieuwe.
'Als ik nu één dag keizer was,' zei Pieter Leunis, 'dan zou de wereld er heel anders uitzien ! Héél anders !'
Hij stond nu lichtjes schommelend op de tafel en ze vroegen hem : 'Wat zou je dan doen, Pieter Leunis ?'
'Ach,' zei Pieter Leunis. 'Van alles ! Van alles !' En toen viel hij onderuit op de tafel en begon aan een diepe slaap.

De volgende ochtend besprak ik het geval met de keizer.

Die fronste zijn wenkbrauwen en zei : 'De Lannoy, hebben we hier te maken met een oproerkraaier ?'

Ik dacht even na en schudde mijn hoofd. 'Ik denk het niet, majesteit. Hij is vast een heel brave, hardwerkende man, die een dagje keizer zou willen zijn als hij een pint teveel heeft gedronken.'

'Wel, de Lannoy,' zei de keizer, 'daar kunnen we toch voor zorgen ?'

Ik keek hem niet-begrijpend aan. 'Wat bedoelt uwe majesteit ?'

'We maken hem gewoon keizer voor één dag !' zei keizer Karel met die glimlach die ik maar al te goed kende.

'Majesteit !'

'Hij zal niet meer weten uit welke broek hij ooit is geschud,' zei keizer Karel.

En dus kreeg ik opdracht om iedere avond naar *De Zwaan* te gaan, tot Pieter Leunis weer zou opdagen.

Het kostte me ettelijke avonden in *De Zwaan* vóór ik Pieter Leunis terugzag. Een tijdje hield hij zich somber op aan de toog, maar ik had afgesproken met de waard dat het hem aan niets mocht ontbreken en dus werd hij binnen de kortste keren dronken. Hij klom bovenop een tafel en hield zijn bekende toespraak. Kijvende vrouw, te zware belastingen, de keizer met een gat in zijn hand en in de schatkist, wie uit welke broek was geschud - ik kende het liedje al. En ik zorgde er wel voor dat hij genoeg te drinken kreeg om hem binnen de kortste keren apelazerus te maken.

Toen hij uitgeteld ineenzakte op een stoel, liep ik naar buiten. Daar stond een koets van het paleis te wachten. Twee dienaren sprongen eruit en hesen de zwaar snurkende Pieter Leunis aan boord. Ik betaalde nog een rondje voor alle aanwezige klanten en beloofde Pieter Leunis veilig thuis te brengen. Iedereen had me daar al zo vaak gezien, dat niemand argwaan koesterde. En toen bracht de koets Pieter Leunis recht naar het paleis.

Pieter Leunis werd wakker in een groot hemelbed. Zonder kijvende vrouw, maar in zijn hoofd bonkten alle klokken van Rome.

Er stond een vriendelijke lakei naast zijn bed, die vroeg : 'Heeft uwe majesteit goed geslapen ?'

Pieter Leunis wist niet wat hem overkwam.

Hij keek verwonderd naar de lakei, naar het bed, naar de wanden van het rijkelijke vertrek, waaraan zijn tapijten hingen.

'Ja, ja,' zei Pieter Leunis verrast.

Er was een lakei die voor een overvloedig ontbijt zorgde.

Er was een lakei om hem te scheren en te wassen.

Er was een lakei om hem aan te kleden met fijne gewaden en die hem ten slotte de gouden ketting van het Gulden Vlies op zijn borst hing.

Pieter Leunis boerde. Het ontbijt had de klokken in zijn hoofd een beetje bedaard. Toen ik binnenkwam, stond hij vóór het raam en keek hij uit op het binnenhof van het paleis.

'Wie ben jij ?' vroeg Pieter Leunis, een beetje in de war.

'Willem de Lannoy, om u te dienen, majesteit ! Herinnert u zich dat niet meer ?'

'Vaag, vaag !' zei Pieter Leunis. 'Jij bent toch die kerel die iedere avond in *De Zwaan* zit ?'

'Een mooie herberg, majesteit !'

'Zeg dat wel,' zei Pieter Leunis. 'De Lannoy, laat mij een pintje bier brengen !'

'Onmiddellijk, majesteit !'

Hij dronk het in één teug op en zei : 'Ben ik uit de verkeerde broek geschud, de Lannoy ?'

'Majesteit !'

'Er zijn broeken en broeken,' zei Pieter Leunis. 'Maar deze broek past me perfect !'

'Prima !' zei ik. 'Zullen we nu even het dagprogramma van uwe majesteit doornemen ?'

'Dat is goed,' zei Pieter Leunis.

'Vanmorgen houdt u een rechtszitting en in de namiddag ontvangt u een aantal delegaties uit Duitsland, Spanje en de Nederlanden. En vanavond is er natuurlijk het gebruikelijke diner.'

'O,' zei Pieter Leunis. 'Is er nergens een gaatje om een pint te gaan drinken? Hoe was de naam ook alweer?'

'De Lannoy, majesteit. Ik vrees van niet.'

'Keizer zijn is ook niet alles,' zei Pieter Leunis.

'U bent al te laat, majesteit!' En ik troonde hem mee naar de grote zaal van het paleis, waar een paar tientallen onderdanen wachtten op zijn wijs oordeel.

Ik moet zeggen, hij kweet zich heel behoorlijk van zijn taak. Hij aanhoorde weduwen en wezen, pachters die met de huur in verlegenheid waren geraakt door misoogsten en andere miserie, en zelfs een tapijtwever die zich beklaagde over zijn kijvende vrouw.

In alle gevallen velde keizer Pieter Leunis een rechtvaardig oordeel. Hij deelde beurzen met gouden carolussen uit aan de meest behoeftigen, nagelde hebzuchtige pachthouders tegen de schandpaal en vaardigde een edict uit tegen kijvende vrouwen.

's Middags aten we samen een boterham.

'De Lannoy,' zei Pieter Leunis vermoeid, 'ik wil een uurtje gaan pitten!'

'Onmogelijk, majesteit! De buitenlandse delegaties maken hun opwachting!'

Pieter Leunis sleepte zich naar de troonzaal. Hij kende geen Spaans en slechts een paar woorden Duits, maar kon zich redden omdat ik geen ogenblik van zijn zijde week.

Tegen de avond was hij totaal afgepeigerd.

Er kwam een lakei om hem te scheren en te wassen.

Er was een lakei om hem te kleden.

En ik was er, om hem bij het diner te vergezellen.

Daar zaten alle adellijke dames en heren, die natuurlijk bij het complot betrokken waren, en de keizer zelf, die in eenvoudige kledij tussen de genodigden had plaatsgenomen.

Pieter Leunis was doodmoe van dat dagje keizerschap en wist na een paar glazen wijn niet meer waar hij stond.

Ten slotte klom hij op de tafel, hield zijn bekende redevoering en iedereen vond het prachtig.

Toen hij totaal uitgeput in een stoel neerzeeg, was het tijd om de koets te laten komen.

We legden hem neer voor de voordeur van zijn atelier en maakten dat we wegkwamen.

Toen hij de volgende morgen wakker werd, wist hij helemaal niet meer uit welke broek hij geschud was. Maar een bode van het paleis bracht hem het bericht dat hij zich voortaan keizerlijke tapijtwever mocht noemen. Waardoor het gekijf van zijn vrouw ophield. Eindelijk.

De Dendermondse
vuurpan

H ET was in het putje
van de winter en het vroor stenen uit de grond. Keizer Karel
wou gaan jagen in de streek rond Dendermonde en zei tegen
mij : 'De Lannoy, kun jij zorgen voor een behoorlijk loge-
ment ?'
'Natuurlijk, majesteit !'
Dus reed ik naar Dendermonde om één en ander te regelen.
Op de Grote Markt was er toen een vermaarde herberg, *De
Wapens van Vlaanderen*, die werd opengehouden door baas
Mollem. Mollem was uren in het rond bekend om zijn uit-
stekende keuken en zijn grote gastvrijheid.
Ik kwam er aan na een barre rit, stijf van de kou en mijn
mantel bedekt met sneeuw.
Maar het grote haardvuur en de warme wijn die baas Mol-
lem me serveerde, deden wonderen.
'Baas Mollem,' zei ik zonder omwegen, 'ik kom met een
boodschap van de keizer !'
Baas Mollem verschoot van kleur. 'De keizer, edele heer ?'
'Hij wil morgen in Grembergen komen jagen en hier voor
één nacht zijn intrek nemen.'

'Het... het zal zijne majesteit aan niets ontbreken,' zei baas Mollem.
'De keizer heeft een slechte bloedsomloop,' zei ik. 'Hij kan alleen slapen in een voorverwarmd bed.'
'Natuurlijk, messire!'
'Een vuurpan* is het minste wat je kunt voorzien.'
'Een... een vuurpan? Jazeker, messire!'

Wat ik niet wist, was dat baas Mollem nooit eerder van een vuurpan had gehoord. En ook niet dat na mijn vertrek Hanske Nork voor de herberg van baas Mollem stilhield met zijn gespan. Hanske Nork was de postiljon die de postdienst tussen Dendermonde en Mechelen onderhield. Hij kwam de gelagzaal binnen en zwaaide met zijn armen onder zijn oksels. 'Berekoud, baas Mollem! Berekoud!'
'Zeg dat wel!' zei baas Mollem verstrooid. Hij zette een kruik warme wijn voor Hanske neer en vroeg : 'Hanske, heb jij ooit van een vuurpan gehoord?'
'Een vuurpan?' Hanske dacht diep na. 'Nee.'
'Morgen komt de keizer hier logeren,' zei baas Mollem in paniek.
'De keizer?'
'Het is geen grap, Nork! Hij wil gaan jagen in Grembergen en daarna komt hij hier naartoe. Hij heeft een slechte bloedsomloop en moet een warm bed hebben! De eer van *De Wapens van Vlaanderen* staat op het spel!'
Hanske Nork dacht even na en zei : 'Mollem, maak je geen zorgen! Ik moet alleen maar weten in welke kamer de keizer logeert.'
'De beste kamer natuurlijk!'
'Goed!' zei Hanske Nork. 'Nu moet ik terug naar Mechelen, maar morgenavond ben ik weer op het appèl!'

Een met gloeiende houtskool gevulde koperen pan, die onder het dekbed wordt geschoven.

De volgende avond kwam Nork verkleumd bij *De Wapens van Vlaanderen* aan. Hij zei niet veel, dronk zijn kruik warme wijn en kroop in bed.

Een paar uur later arriveerde de keizer. Baas Mollem zette hem een uitstekende maaltijd voor, besproeid met de beste wijnen die hij in huis had. En daarna ging de keizer slapen. Het bed was lekker warm, alhoewel hij nergens een vuurpan kon ontdekken.

's Morgens bij het ontbijt zei de keizer : 'Baas Mollem, ik heb heerlijk geslapen ! En zonder vuurpan ! Hoe is dat mogelijk ?'

Hanske Nork, die een paar tafels verder zat, zei : 'Majesteit, we wisten niet wat een vuurpan was ! Ik... ik heb een paar uur in uw bed geslapen, om het voor te verwarmen !'

Baas Mollem dacht dat hij ter plekke dood zou blijven.

'Hans,' zei hij, 'hou op met die onzin ! Heb jij in het bed van de keizer geslapen ?'

'Jazeker !' zei Hanske Nork.

Er volgde een daverende stilte.

Toen stond de keizer op en zei : 'Hans Nork, er zouden er meer moeten zijn die zich bekommeren om de koude voeten van de keizer ! Kniel neer !'

De keizer trok zijn degen, sloeg hem op de schouder van Hanske Nork en zei : 'Ik sla je hierbij tot ridder !'

De verbaasde Hanske Nork liet van schrik een scheet.

'Wat was dat ?' vroeg keizer Karel glimlachend.

'Majesteit,' zei Hanske Nork helemaal ontdaan, 'u hebt er langs boven de ridder ingeslagen en langs onder kwam de boer eruit !'

Keizer Karel glimlachte. 'Sta op, ridder Nork ! Leer wat een vuurpan is en ga verder in vrede !'

Kort daarop veranderde baas Mollem de naam van zijn etablissement in *De keizerlijke vuurpan*, waar je nog altijd heerlijk kunt eten en drinken en een fijn verwarmd bed vindt voor de nacht.

De keizerlijke scheepstrekker

HET was een mooie zomermorgen en vóór dag en dauw had keizer Karel zijn paleis in Gent verlaten, om een flinke wandeling te gaan maken langs het kanaal Brugge-Gent.

Over het water hing in lage slierten de morgenmist, maar die zou wel gauw verdwijnen want het beloofde een zwoele, warme dag te worden.

Keizer Karel genoot met volle teugen. Zijn hoofd was ver van lastige staatszaken en hij dacht alleen aan prettige dingen.

Hij was zodanig in zijn dagdromerij verdiept dat hij niet merkte hoe over het jaagpad langs het kanaal een haveloze man achter hem aan liep. De man heette Tist, was blootsvoets en met een touw trok hij een schip voort over het water. Tist liep diep gebogen over het pad. Het was zwaar werk en hij zweette als een otter. Hij mompelde binnensmonds allerlei verwensingen en beklaagde zich bitter over zijn droevig lot.

Aan het roer van het schip stond Mele, zijn vrouw. Zij hield de koers van het schip met vaste hand aan.

'Was er nu nog maar een zúchtje wind!' zei Tist bij zichzelf. 'Dan konden we de zeilen uitzetten. Dat zou mij het werk toch wat lichter maken.'

Hij hijgde als een dampig paard en zijn schouders schrijnden. Wat een leven !

Opeens botste hij tegen keizer Karel op, die veel langzamer liep dan hij, en ze tuimelden allebei op de grond. Het touw gleed uit Tists handen en tot overmaat van ramp liet Mele, die meer oog had voor wat er op het jaagpad gebeurde dan op het water, het schip vastlopen in het riet.

Tist en keizer Karel keken elkaar een ogenblik verbaasd aan.

'Dat is me ook wat moois !' zei Tist woedend. 'Kijk nu wat je gedaan hebt !'

'Ik ?' vroeg keizer Karel. 'Ik loop hier gewoon wat te wandelen !'

'Wandelen ? Wandelen ? En ik ben mijn boterham aan het verdienen, sinjeur !'

'Het jaagpad is van iedereen,' zei keizer Karel.

Tist bekeek hem nijdig. 'Dat is wel zo, maar wie hier loopt moet uit zijn doppen kijken !' Hij vloekte hartsgrondig, krabbelde overeind en keek naar het schip. Hij stak in wanhoop zijn beide armen in de lucht. 'Stomme gans ! Ben jij al even blind als dit mooie heerschap hier ?'

'Heb je je pijn gedaan, Tist ?' vroeg Mele.

'Pijn gedaan ! Pijn gedaan ! Ik ben toch niet van peperkoek ?' Hij keek naar keizer Karel en zei kortaf : 'Help even !'

Keizer Karel vroeg bedremmeld : 'Wat moet ik doen ?'

'Het touw vasthouden ! Zal dat gaan, met die fijne witte handjes van jou ?'

'Hola !' zei keizer Karel. 'Als het zo zit, kan ik beter niét helpen !'

Tist bond wat in, grommelde iets en sprong aan boord.

Keizer Karel hield het touw vast, terwijl Tist en Mele met lange stokken probeerden het schip van de oever af te duwen. Er was geen verwrikken aan, het schip zat muurvast.

50

Maar ten slotte, met een bovenmenselijke inspanning, kreeg Tist het schip los en stuurde het naar open water.
'Bravo!' zei keizer Karel. 'En nu?'
De schipper sprong in het water en zwom naar de kant. Hij pakte het touw van keizer Karel over en zei : 'Ik ben bèkaf! Moet je naar Gent, sinjeur?'
Keizer Karel knikte.
'Ik ook,' zei Tist. Hij aarzelde. 'Wil je voor een paar uur mijn schuit trekken? Ik geef je deze middag de kost!'
Keizer Karel dacht na. De schipper bekeek met een spottend lachje de fijne kleren van de keizer en zijn lange, slanke handen. Keizer Karel wist wat hij dacht. 'Denk je dat ik dat niet kan?' vroeg hij.
'We zullen zien,' zei Tist.
'Goed,' zei keizer Karel en nam het touw.

Keizer Karel stapte en stapte maar.
Met het touw om zijn lenden en over zijn schouder. En hij knikte met zijn hoofd heen en weer, als een trekpaard.
Het was lastiger dan hij gedacht had. Maar dat zou hij voor de dood niet toegeven.
'Gaat het?' vroeg Tist, die aan het roer stond, spottend.
Keizer Karel hijgde. 'Ik denk dat ik spit in mijn rug krijg,' zei hij.
'Dat hebben ze in het begin allemaal,' schreeuwde Tist terug. 'Het gaat wel weer over na een paar dagen trekken!'
Keizer Karel beet op zijn tanden.
Het jaagpad waarop zijn mooie wandeling was begonnen, leek hem eindeloos, gruwelijk lang. Was ik maar te paard gekomen, dacht hij radeloos. Dan had ik dat kunnen inspannen om dit verdomde schip te trekken.
De zon rees gestaag.
'Is het eten nog niet klaar, Tist?'
'Nog eventjes,' zei Tist.
'Mijn beer gromt!' zei keizer Karel.

'Dat is de frisse buitenlucht !' zei Tist vrolijk.

Keizer Karel begon zijn stappen te tellen, als iemand die ijs-beert in een cel. Bij duizend gaf hij het maar op.

Toen hij héél in de verte de torens van Gent zag, riep Tist : 'We meren hier even aan ! Het eten is klaar !'

Meer dood dan levend zat keizer Karel even later in een kleine kombuis. Op de tafel stonden brood, kaas en boter en een kruik bier.

'Hoe heet je eigenlijk ?' vroeg Tist monter.

'Karel,' zei keizer Karel.

'Zo, Karel ! Tast maar eens flink toe !'

Keizer Karel liet het zich geen twee keer zeggen. Hij pakte een snee brood, besmeerde ze gul met boter en reikte toen naar de kaas.

'Hola, hola !' zei de schipper. 'Twéé keer beleg ? Zo gaat dat hier niet ! Het is óf boter óf kaas, Karel ! De tijden zijn hard en het leven is duur !'

Keizer Karel at zwijgend zijn brood. Toen dat op was, nam hij een boterham met kaas, zonder boter. 'Zó kennen we el-kaar weer,' zei Tist tevreden. Toen verviel hij in somber gepeins en zei opeens : 'Het is allemaal de schuld van de hoge heren ! Dat zit maar op zijn luie kont en wij moeten voor hen werken. Heffingen, tol, belastingen - daarin zijn ze heel vindingrijk.'

Keizer Karel gromde iets onverstaanbaars.

'Het is toch waar,' zei Tist. 'Vroeger had ik een paard om de schuit te trekken !' Hij lachte schril. 'Heb ik moeten ver-kopen,' zei Tist.

'De hoge heren ?' vroeg keizer Karel met zijn mond vol.

'Allemaal dieven,' zei Tist.

'De keizer ook ?'

'Die heeft een gat in zijn hand,' zei Tist. 'Of denk je dat al die soldaten waarmee hij de ene oorlog na de andere voert, van de hemelse dauw leven ?'

'Ik denk dat de keizer doet wat hij moet doen,' zei keizer Karel. 'Scheepstrekkers trekken, keizers regeren!' Hij dronk zijn kruik bier uit, stond op en zei : 'Het ga je goed, schipper!'
'Hé!' zei Tist. 'Waar ga je naartoe?'
'Ik heb gewerkt voor mijn kost,' zei keizer Karel. 'Dat was de afspraak, of niet?'
Hij klom aan dek, sprong aan de kant en was even later in de richting van Gent verdwenen.

Van zodra hij terug was in Gent, liet de keizer mij roepen.
'En, hoe was de wandeling, majesteit?'
'De Lannoy,' zei de keizer, 'ik heb iets ongelooflijks meegemaakt.' En hij vertelde mij het hele verhaal.
Ik wist niet goed of ik moest lachen of hem troosten.
'We moeten die Tist een lesje leren!' zei de keizer.
Ik knikte.
'Luister,' zei de keizer met een vage glimlach, 'ik heb een plan.' Want hij had altijd plannen.

Het was al avond toen Tist met zijn schuit aanlegde in de haven van Gent.
Ik stond hem al bijna een uur op te wachten en herkende hem meteen.
De keizer had gevraagd dat ik me mooi zou uitdossen en Tist was dan ook stomverbaasd toen ik hem aansprak.
Van hoge heren gesproken, dit was er duidelijk één!
'Tist,' zei ik, 'ik kom met een boodschap van de keizer!'
'De keizer?'
'Hij verwacht je morgen om tien uur op het paleis.'
'Ik? Op het paleis?'
'Dat heb je goed begrepen!' En weg was ik.

Tist kon die avond geen hap door zijn keel krijgen en 's nachts lag hij te woelen in zijn bed.

Mele werd er doodnerveus van.

'Wat kan ik toch misdaan hebben ?' vroeg hij voor de dui-
zendste keer. 'Ik ben een arme sloeber die veel te hard moet
werken om ook maar tijd te hebben iets te mispikkelen.'

'Het heeft vast iets te maken met die kerel van vanmorgen,'
zei Mele piekerend. 'Die Karel. Misschien was het wel een
spion !'

'Een spion ?'

'Een spion van de keizer !'

Het koude zweet brak Tist uit. Wat had hij niet allemaal gezegd tegen de vreemde sinjeur ? Hoge heren, gat in de
hand, geen twee keer beleg ineens. Jezus-Maria !

De volgende morgen stond Tist op. Hij had geen oog dicht-
gedaan maar had visioenen gekregen van enge folterka-
mers, een cel vol ratten en vergeetputten.

Met de moed in zijn schoenen trok hij zijn beste pak aan en
ging op weg naar het paleis.

Daar werd hij blijkbaar verwacht, want daar stond de
vreemde boodschapper van gisteravond. Die bracht hem
naar een enorme, schitterende zaal, waarin een grote tafel
stond, gedekt voor het diner.

Tist dacht dat hij droomde.

'Heb je al ontbeten, Tist ?' vroeg ik.

Tist schudde het hoofd. 'Nee, messire.'

Ik zag hem weifelend kijken naar de fraai gedekte tafel.

'Nee, niet daar, Tist,' zei ik vriendelijk en ik bracht hem
naar een klein tafeltje, dat in een hoek stond. Het was gedekt voor twee, met brood, boter, kaas en een grote kruik
bier.

'Ik ging tegenover hem zitten en zei : 'Eet smakelijk, Tist !'

Tist nam aarzelend een snee brood, beboterde ze flink en
greep toen naar de kaas.

'Hola, Tist ! Wat is dat ? Twéé keer beleg op één boterham ?
De tijden zijn hard en het leven is duur !'

Tist keek me verbijsterd aan. Ik zag het spoken in zijn hoofd. Hij at met lange tanden zijn boterham op, nam er dan nog een met kaas maar zónder boter. En hij dronk van het bier als iemand die een barre tocht achter de rug heeft. Toen ging de deur open en kwam de keizer binnen in groot ornaat. Tist keek hem aan alsof hij een verschijning zag en werd lijkbleek.

De keizer vroeg : 'Heeft het gesmaakt, Tist ?' Hij stak zijn beide handen naar voren. 'Zit hier soms een gat in ?'

Tist zonk op zijn knieën en zei bevend : 'Genade, majesteit ! Genade !'

De keizer glimlachte. 'We hebben gisteren een interessant gesprek gehad.'

'Majesteit, ik...'

'Ik weet graag wat er onder de mensen leeft,' zei keizer Karel. 'Ik ontsla je nu van alle lasten voor de toekomst. Ik heb gemerkt dat je schip dringend herstellingen nodig heeft en dat de zeilen versleten zijn. Laat dat repareren op mijn kosten. Ik heb ook voor een trekpaard gezorgd.'

'Majesteit, u bent te goed !'

'Ik stel twee voorwaarden,' zei keizer Karel gemaakt streng. 'Je herdoopt je schip in *De keizer Karel* en als je nog eens een hulpje aan boord neemt, mag hij dan twee keer beleg op zijn boterham hebben ?'

'Natuurlijk, majesteit. Natuurlijk !'

Maar de keizer was alweer achter een gordijn verdwenen.

Keizer Karel schiet
de hoogste vogel af

SINDS jaar en dag bestond er in Brussel een befaamde schuttersgilde. Wanneer het weer het enigszins toeliet, kwamen de schutters 's zondags samen op het kerkhof van de Zavel, om er te oefenen. Schieten vereist een vaste hand en een scherp oog en die had keizer Karel allebei. Wanneer hij in Brussel verbleef, gebeurde het niet zelden dat hij op de oefening verscheen om zich te meten met de besten van de Brusselse schuttersgilde.

Helemaal bovenop de top van de Zavelkerk prijkte de hoofdvogel. Wie die eraf schoot, was de held van de dag. Wanneer de schutters hun dagje niet hadden (of in de hitte van de strijd te diep in het glas hadden gekeken) bleef de hoogste gaai spottend op de toren staan. Dat was telkens het moment dat keizer Karel in actie kwam. Hij liet zijn kruisboog brengen, legde in een ademloze stilte aan en onveranderlijk wist hij de vogel neer te halen. Onder luid gejuich van het publiek.

De schutters waren sportieve jongens en ze trokken de vaardigheid van de keizer geenszins in twijfel. Maar wie telkens de duimen moet leggen voor iemand die niet te kloppen is, daar is op de duur geen aardigheid meer aan.

De schutters staken de koppen bij elkaar.

'Hij mag nog duizend keer de keizer zijn,' zei de gildenkapitein, 'het is toch onmogelijk dat hij telkens weer de hoofdgaai afschiet en niet één keer mist!'

De andere schutters schudden het hoofd.

'Er moet iets achter zitten,' zei de secretaris, 'maar wat?'

Ze piekerden zich het hoofd suf, maar kwamen er niet uit.

'Ogen en oren openhouden, mannen!' zei de gildenkapitein en bestelde voor iedere aanwezige nog een kruik bier op kosten van de kas.

Het enige wat hen de volgende zondagen opviel was, dat telkens wanneer keizer Karel kwam, de koster van de Zavelkerk stickem in de toren verdween. En dat vonden ze verdacht. Maar waarom, dat wisten ze niet.

Ze besloten tot krachtige maatregelen over te gaan.

De eerste keer dat de komst van de keizer werd aangekondigd, voerden ze van 's morgens al de koster zó dronken dat hij 's middags al niet meer wist van welke parochie hij was. Hij zag de toren van de Zavelkerk ten minste twee keer.

Tegen drie uur verscheen keizer Karel op het toneel. Hij merkte tot zijn genoegen dat de oppergaai nog steeds op de torenspits prijkte en lachte in zijn baard.

De koster, meer dood dan levend, verdween achter de torendeur, zonder te beseffen dat hij door alle gildenbroeders in de gaten werd gehouden. Hijgend en puffend besteeg hij de wenteltrap, tot hij eindelijk op zijn vertrouwde plaatsje zat. Achter een raampje van de torenspits, waar niemand van de schutters hem kon zien. Hij stak zijn hoofd door het raampje en beneden hem begon de hele wereld rond te tollen. Hij vermande zich en wachtte op het schot van keizer Karel.

Daar moest hij niet lang op wachten.

Beneden steeg een verward gejuich op en daarna viel er een doodse stilte. De koster telde. Hij zag zó voor zich hoe de keizer aanlegde en mikte.

De pijl van de keizer vertrok met een zachte zoef, recht naar de torenspits. De koster telde nog even voort en opeens gaf hij een ferme ruk aan een touw. Dat hing vlak boven zijn hoofd en was vastgemaakt aan de voet van de hoofdvogel. Nog vóór keizer Karels pijl halfweg was, tuimelde de hoofdvogel tot verbazing van alle toeschouwers naar beneden. Op het kerkhof brak er een hevige discussie uit.

Keizer Karel speelde de vermoorde onschuld zelf, maar de gildenkapitein keek hem schalks aan en zei : 'Uwe majesteit is niet alleen een uitstekende schutter. Maar hij heeft het nu ook al zover gebracht dat de oppergaaien van schrik neervallen vóór ze door zijn pijlen geraakt zijn !'

De keizer begreep dat ze zijn spelletje doorhadden. En toen de hele gilde in een bulderend gelach uitbarstte, lachte hij hartelijk mee.

De paarden-worsteters

O<small>P</small> een mooie maandagmorgen was keizer Karel uitgereden om in zijn eentje het land van Waas te bezoeken.

Zo kwam hij in de buurt van Lokeren, het kleine stadje aan de Durme, dat als uitgestorven in de lentezon lag.

Keizer Karel vond het vreemd dat hij geen mens op straat zag. Terwijl het toch al naar de middag liep.

Zelfs op de anders zo druk bevaren Durme was er geen trekschuit te zien en nergens in het riet was er ook maar één palingvisser te bespeuren !

Wat de keizer niet wist, was dat de dag daarvoor de schutters hun voorjaarstoernooi gehouden hadden. Vrijwel de hele stad genoot van een verkwikkend dutje. Had keizer Karel dat geweten, hij was een dagje eerder gekomen !

Weldra hield hij stil op de Grote Markt, die er al even verlaten bijlag. Hij bond zijn paard vast aan de pui van een herberg. Boven de deur hing een reusachtige klomp, met daaronder het opschrift : *In de grote klomp, bij Rikus.*

Want Lokeren is niet alleen het centrum van het rapenland, er worden ook klompen gesneden voor de hele streek.

Rikus uit de Grote Klomp nu, was een bezig baasje. Hij was

59

niet alleen klompenmaker en herbergier, maar bovendien ook burgemeester van de stad.

In de gelagzaal zaten aan een tafeltje een vijftal mannen bij elkaar. Ze zagen er nogal verwaaid uit en telden in een hoed het geld dat ze van gisteren hadden overgehouden. Het waren de knechten van de klompenmakerij die keken of ze nog genoeg hadden voor een rondje (of misschien wel twee), om hun haarpijn te bestrijden.

Dat deden ze overigens niet alleen na een schuttersfeest, maar élke maandag. Een oeroud gebruik onder klompenmakers ! 's Maandags werd er niet gewerkt, maar dronk men de kater weg van de dag daarvoor.

Na een tijdje dook Rikus zelf op. Hij was een kleine, dikke man, bijna kaal en met oogjes zwart als houtskool.

Hij nam de vreemdeling van kop tot teen op en vroeg vermoeid : 'En wat mag het voor u zijn ?'

'Het beste wat Lokeren aan spijs en drank te bieden heeft !' zei keizer Karel vrolijk. Want hij had geen last van haarpijn. 'En geef die jongens daar ook iets te drinken !'

Die jongens daar, die de keizer toen hij binnenkwam met gepaste achterdocht bekeken hadden, zagen er op slag een stuk welwillender uit.

Rikus zuchtte diep. 'U moet wel van ver komen, vreemdeling, om niet te weten dat hier gisteren het schuttersfeest is gehouden. Die mannen hebben heel mijn kelder leeggedronken en mijn laatste proviand soldaat gemaakt.'

'Ik heb honger,' zei keizer Karel.

'Goed,' zei Rikus. 'Ik zal eens kijken of er nog een kliekje in de keuken staat.' Hij klepperde traag weg op zijn klompen en verdween achter een deur. Het duurde geruime tijd voor hij opnieuw tevoorschijn kwam met een dampend bord en een half brood.

'Zo,' zei hij glimlachend. 'Het beste dat Lokeren te bieden heeft !'

Keizer Karel keek naar het bord. Er lagen zes kleine worstjes op in flink wat vet braadvocht. Het rook heerlijk, maar keizer Karel vroeg wantrouwig : 'Wat is dit ?'

'Eet,' zei Rikus, 'en praat dan !'

Daarop bestelde de keizer voor het hele gezelschap een paar kruiken van de beste wijn, die Rikus aan eenvoudige schutters natuurlijk niet kon slijten. De keizer begon te eten. De worstjes waren mals als boter en hadden een wat vreemde, maar niet onaangename smaak. En de saus was heerlijk om er brood in te soppen. Toen zijn bord helemaal leeg was, leunde de keizer voldaan achterover en boerde. De knechten lachten vrolijk.

'En baas ?' vroeg de keizer. 'Wat heb ik nu gegeten ?'

'Het beste wat Lokeren te bieden heeft, vreemdeling !'

'En wat is dat dan ?'

'Paardenworstjes, vreemdeling !'

Keizer Karel keek hem ontsteld aan. 'Je bedoelt... van een paard ?'

Rikus knikte.

'Maar een paard !' zei keizer Karel ontzet. 'Van zo'n edel dier kun je toch geen worst maken ?'

'En waarom niet, vreemdeling ?'

'Een paard dient om op te rijden !' zei keizer Karel.

'Je eet toch ook varkenvlees ?'

'Ik heb nog nooit op een varken gereden,' zei keizer Karel.

'Je eet toch ook schapenbout ?'

'Ik heb nog nooit op een schaap gereden !'

'Je eet toch ook biefstuk ?'

'Ik heb nog nooit op een koe gereden !' zei keizer Karel boos, tot dolle pret van de knechten.

'Ju, Bella !' zei Rikus en hij begon proestend te lachen.

Keizer Karel voelde een rare kriebel in zijn buik, ter hoogte van zijn maag en boerde opnieuw. Rikus knikte goedkeurend. 'Goed zo,' zei hij. 'Zolang het daar beneden niet begint te hinniken, kan het geen kwaad !'

'Hoor eens,' zei keizer Karel, 'als je niet zo'n mooie raap in

het stadswapen voerde, zou ik meteen het bevel geven er een worst op te zetten ! En die klomp boven de deur zou ook meteen wegmoeten. *In de paardenworst, bij Rikus.*'
Rikus begon enige nattigheid te voelen. 'En wie bent ú dan, dat u aan de stad of aan mij bevelen kunt geven ?'
'Omdat ik de keizer ben,' zei keizer Karel.
'De keizer !' Iedereen keek Karel met de grootste ontzetting aan.
Keizer Karel boerde nog eens en op zijn strenge gezicht verscheen langzaam een glimlach. 'Ju, Bella !' zei hij. 'Doe ze nog eens vol !'
Of de klompenmakers die dinsdag nog aan het werk zijn gegaan, weet ik niet. Maar sindsdien heten de Lokeraars wel paardenworsteters !

De dikke en de dunne

S AMEN met de keizer
was ik eens op bezoek in de fraaie stad Antwerpen.
'Geen groot vertoon, de Lannoy,' zei de keizer. 'Gewoon
wij tweeën!'
En zo wandelden we dus door de straten van Antwerpen,
door geen mens gestoord. We dronken hier en daar een frisse kruik, aten ergens een lekkere maaltijd.
'De Lannoy,' verklaarde de keizer, 'ik geloof dat dit de enige stad is in heel mijn rijk, die zich eigenlijk geheel aan
mijn macht onttrekt.'
'Wat bedoelt uwe majesteit?'
'Die mensen hier,' zei de keizer, 'zijn zo zelfverzekerd dat
het wel allemaal keizers lijken te zijn! Ze zijn keizer over
zichzelf!'
Ik kon hem alleen maar gelijk geven.
Al kuierend kwamen we bij het Groen Kerkhof * en we liepen de Onze-Lieve-Vrouwkerk binnen.
Er waren weinig mensen op dat uur, maar achteraan was
een schilder bezig, die een reusachtig doek had opgezet.

*Huidige Groenplaats.

63

De schilder zelf was een welgedane man, met een neus zo rood als een aardbei. Het was maar al te duidelijk dat hij van wijntje en trijntje hield.

De keizer bleef vanop een afstand naar het schilderij staan kijken, dat vol stond met heiligen en engelen, even welgedaan als de schilder zelf.

'Zijn ze niet een beetje mollig ?' vroeg de keizer opeens.

De schilder draaide zich om, herkende meteen keizer Karel en zei zonder enige schroom of vrees : 'Majesteit, zalig zijn zij die in deze barre tijden genoeg te eten en te drinken hebben. In deze stad zetten we de tering naar de nering. En de nering is goed.'

Keizer Karel dacht hier even over na en vroeg toen : 'Denk je echt dat iedereen in de hemel zó bloot en met zulke billen rondloopt ?'

'Als er een hemel is,' zei de schilder, 'dan lijkt hij op Antwerpen.'

De keizer ging op deze lastering niet in, maar vroeg rustig : 'Zou je mijn portret willen schilderen ? Maar dan niet zo mollig !'

'Het zal mij een eer zijn,' zei de schilder.

Zo gebeurde het dat de schilder voor verschillende dagen naar Brussel kwam, om de keizer te schilderen. Toen het portret af was, schrok keizer Karel hevig van het resultaat. 'Maar zó mager ben ik nu toch ook weer niet !' riep hij uit. 'Ik lijk wel een bonenstaak !'

'Uwe majesteit wou het iets minder mollig,' zei de schilder.

'Iéts molliger zou het toch wel mogen,' zei de keizer scherp. 'Herbegin !'

'Zoals uwe majesteit wenst !'

De schilder werkte lang aan het nieuwe schilderij en weigerde, net als de eerste keer, om het de keizer te laten zien voor het af was.

Toen keizer Karel eindelijk naar het resultaat mocht kijken, werd hij woest. 'Maar ik lijk wel een schransende, volge-

vreten monnik op een boerenkermis !'
De schilder keek ongelukkig. 'Uwe majesteit zei toch dat
het iets molliger moest ?'
'Man ! Ben jij dan niet in staat om een gelijkend portret te
maken ?'
'Ik kan het proberen, majesteit !'
'Wee je gebeente !' zei keizer Karel.
De schilder werkte heel lang aan het derde portret. Toen dat
ten slotte af was, was de keizer in de wolken. 'Prachtig !'
zei hij. 'Schitterend !' En hij beloonde de schilder vorste-
lijk voor zijn werk.
'Uwe majesteit is te goed,' stamelde de schilder, die nog
nooit zoveel geld bij elkaar had gezien.
'En neem die eerste twee ondingen maar mee !' zei keizer
Karel. 'Dat ze uit mijn ogen zijn !'
De schilder ging dus terug naar Antwerpen, met een beurs
vol goud en twee afgewezen schilderijen.
In zijn geboortestad liet hij wekenlang het geld lustig rol-
len. De fijnste wijn, het beste gebraad - het was nauwelijks
goed genoeg. En hij had opeens veel vrienden, die zijn for-
tuintje hielpen opmaken.
Tot hij op een morgen wakker werd met een kater van hier
tot ginder en... een lege beurs. Het enige wat hij nog bezat,
waren de twee mislukte doeken van de keizer.
Die wist hij echter te verpatsen aan de eigenaar van een res-
taurant, die ze aan weerszijden van zijn deur ophing. Onder
het schilderij van de magere keizer liet hij het opschrift aan-
brengen : 'Deze sinjeur zal hier wel nooit klant worden !'
En onder het tweede : 'Deze sinjeur heeft net mijn zaak verlaten !'
Dit grapje oogstte in Antwerpen zoveel succes, dat de eet-
gelegenheid steeds meer klanten kreeg. Zóveel zelfs, dat de
schilder er gratis mocht komen eten en drinken, zoveel hij
wou en zijn leven lang !

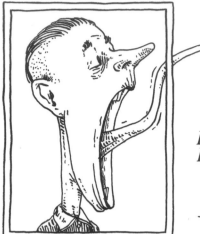

*De verbanning van
Paep Theun*

P AEP Theun was een
simpele jongen, maar door zijn schrander verstand en zijn
welbespraaktheid had hij het tot hoveling van de keizer weten te schoppen.
Niet iedereen was zo gelukkig met Paep Theun.
Hij was niet alleen welbespraakt, hij had ook een scherpe
tong. En het gebruik daarvan kwam alleen de hofnar toe,
wat Paep Theun dus niet was.
Als hij weer eens een van de edele dames of heren tegen de
haren had ingestreken, ging die zich steevast beklagen bij
de keizer.
Die hoorde geduldig het hele verhaal aan. En barstte dan
prompt in lachen uit.
Zo hield de keizer Paep Theun de hand boven het hoofd, tot
grote en machteloze woede van een groeiend aantal hovelingen. Paep Theun doorprikte ballonnetjes (en ballonnen)
en dat beviel de keizer eigenlijk wel.
Maar op een schone keer had Paep Theun het zo bont gemaakt, dat zelfs keizer Karel inzag dat het zo niet verder
kon.
Hij verbande Paep Theun uit al de landen waarover hij

heerste. En dus vertrok Paep Theun met pak en zak uit het keizerlijk paleis. Tot grote opluchting van de hovelingen waarmee hij zo de draak had gestoken.

Paep Theun reisde naar het prinsbisdom Luik, waar de keizer niets te vertellen had. Hij schafte zich een paard en een kar aan en bedekte de bodem van de kar met een laag Luikse grond.

Toen reed hij welgemoed terug naar Brussel.

Groot was de verbazing van de kapitein van de wacht, toen Paep Theun met zijn gespan bij de poort van het paleis verscheen.

'Wat moet dat, Paep Theun? Ik dacht dat je ten eeuwige dage verbannen was uit alle landen van de keizer?'

'Dat ben ik ook,' zei Paep Theun bedaard.

'Maak dan dat je wegkomt! Voor ik je laat opsluiten!'

Er ontstond een zodanig geharrewar bij de poort, dat keizer Karel, die in zijn studeerkamer zat, ook eens kwam kijken wat er gaande was.

'Wel, Paep Theun,' vroeg hij, 'wat betekent dit?'

Paep Theun zat prinsheerlijk in zijn kar en glimlachte.

'Uwe majesteit heeft me verbannen,' zei hij, 'en daar hou ik me aan!'

'Voorzover ik weet,' zei keizer Karel, 'behoort Brussel nog steeds tot het hertogdom Brabant en dat is keizerlijk land!'

'Dat kan wel zo zijn,' zei Paep Theun, 'maar ik zit nu op Luikse grond!'

De keizer keek eens naar de graszoden waarmee Paep Theun de bodem van de kar zorgvuldig bedekt had, en schaterde het uit.

'Kom er maar weer in, Paep Theun!' zei hij.

En hij schonk Paep Theun zijn oude baantje terug.

De gecroonde leerse

Op een dag liepen keizer Karel en ik over de markt van Brussel, toen we een pronte vrouw zagen die een reusachtige eend had gekocht.
'De Lannoy,' zei de keizer, 'het water komt me in de mond als ik dat zie ! Die gaat vanavond een feestje bouwen.'
'Dat zou best wel eens kunnen, majesteit !'
'Het ziet er een eenvoudige volksvrouw uit, de Lannoy. Waar gaat ze met zo'n mooie eend naartoe ?'
Ja, dat wist ik natuurlijk ook niet. Omdat de keizer dringend terugverwacht werd op het paleis en hij toch wou weten waar de vrouw met de eend heen ging, spraken we af dat ik haar discreet zou volgen.
Ten slotte kwam ik erachter dat ze in een heel bescheiden huisje in een van de volkswijken van Brussel woonde. Ze was de vrouw van Linus, een eenvoudige schoenlapper, die van 's morgens tot 's avonds hard moest werken voor een schrale boterham. In een herberg vlakbij hoorde ik van de baas dat Linus onverwacht wat geld had geërfd van een oudtante. Dát wou hij dus vanavond vieren.
Ik bracht dit nieuws over aan de keizer en die trok dezelfde avond op pad, in heel eenvoudige kledij en met zijn slechtste laarzen aan.

Van zodra de keizer het nauwe straatje binnenstapte waar Linus woonde, snoof hij de heerlijke geur van gebraden eend. Hij stond stil voor het kleine huisje en hoorde mensen vrolijk praten en lachen.

Maar heel even aarzelde hij. Toen klopte hij aan en duwde de deur open. Aan tafel zaten Linus, de schoenmaker, zijn gezellen en enkele vrienden. Ze dronken bier en... midden op tafel prijkte, sappig en goudbruin gebraden, de eend!

'Neem me niet kwalijk,' zei keizer Karel, 'maar dit is toch een schoenmakerij?'

En hij keek verlekkerd naar de eend.

Linus stond op en vroeg : 'Waarmee kan ik u van dienst zijn?'

'Er zit een spijker door mijn laars,' loog keizer Karel, 'en ik dacht...'

'Het spijt me,' zei Linus, 'maar er is hier een feestje van-avond. U zult bij één van mijn andere vakbroeders te rade moeten gaan.'

Keizer Karel trok een pijnlijke grimas. 'Het bloed staat in mijn schoenen,' zei hij. 'En honger heb ik ook!'

Linus kreeg medelijden met hem. 'Vreemdeling,' zei hij, 'schuif maar gerust mee aan. Ik zal straks wel even naar die laars van jou kijken!'

'O, nee, nee!' zei keizer Karel. 'Ik wil me niet opdringen!'

Maar Linus had al een stoel bijgeschoven en keizer Karel zei : 'Goed dan. Als ik de wijn mag betalen!' En hij liet de beste wijn komen die er in de stad te vinden was.

Het werd een vrolijke avond.

Ze peuzelden van de eend tot het sap van hun kin droop en de wijn maakte de tongen losser.

'Het is hier niet elke dag eend, vreemdeling,' zei Linus.

'Bij mij ook niet,' zei keizer Karel.

'Gortenpap. Brood. En soms een droge haring,' zei Linus. 'En voor de rest moet je maar hopen dat de schoenen wat sneller verslijten en dat een mens gezond blijft.'

'Gezond blijven, dat is het voornaamste,' beaamde keizer Karel.

Hij liet de bekers nog eens vullen.

'We weten niet eens hoe je heet, vreemdeling,' zei Linus.

'Karel,' zei keizer Karel.

'En wat doe je voor de kost, Karel?'

Keizer Karel haalde de schouders op. 'Laarzen verslijten,' zei hij.

Iedereen begon te lachen. 'Laarzen verslijten? En verdien je daar een boterham mee?'

'Dat gaat nogal,' zei keizer Karel bescheiden. 'Het is niet iedere dag eend, maar kom, als je maar gezond blijft!'

Zo praatten en lachten ze tot laat in de nacht. Tot keizer Karel, die een beetje boven zijn theewater was, eindelijk opstond en zich versprak. 'Ik moet eens terug naar het paleis,' zei hij.

Dat vond iedereen zeer vermakelijk.

'Het paleis?' vroeg Linus. 'Ze zullen je zien aankomen, met je afgedragen laarzen! Zal ik nog even naar die spijker kijken?'

'Het gaat alweer,' zei keizer Karel. 'Als je nu mijn laarzen uittrekt, raak ik er nooit meer in vóór morgenochtend!'

Er viel een stilte.

'Karel,' vroeg Linus, 'wat heb jij met het paleis te maken?'

'Ik ben de keizer,' zei keizer Karel met dubbele tong.

Enkele van de gasten begonnen te lachen, maar Linus' neus werd een beetje bleek. 'Nu je het zegt,' zei hij. 'Nu je het zegt! Wat een eer, majesteit! Majesteit, wat een eer!'

'Dat van die spijker was gelogen,' zei keizer Karel eerlijk. 'Ik had alleen zo'n trek in eend!'

Linus was een ogenblik sprakeloos.

'Ik wil ook wel eens een droge haring komen eten,' zei keizer Karel met een glimlach. 'Maar ik heb zo lekker gegeten vanavond en zo genoten van dit gastvrije gezelschap! Waarmee kan ik je een plezier doen?'

Linus dacht na. 'Boven mijn deur hangt een laars,' zei hij. 'Zou daar een kroontje boven mogen?'

'De gecroonde leerse !' zei keizer Karel. 'Ik zal ervoor zorgen. En iedere laars die aan mijn hof gelapt moet worden, zal voortaan hiernaartoe worden gebracht !'
En zo geschiedde.
Linus' schoenlapperij werd de bekendste van de stad. Af en toe werd er nog een droge haring en gortenpap gegeten, maar meer dan geregeld kon er voortaan wel een gebraden eend vanaf.

De rijstpap van Tervuren

OP een dag reed keizer Karel met een groot gevolg in de omgeving van Tervuren. Ik had de eer zijne majesteit daarbij te vergezellen en kan dus instaan voor de juistheid van wat volgt.

'Is dat niet de kerktoren van Tervuren, de Lannoy ?'

'Jawel, majesteit !'

Maar in Tervuren hadden ze de kleurige keizerlijke stoet allang zien komen. Met vlag en vaandel kwam ons een kleine delegatie tegemoet, met voorop de pastoor, de burgemeester en al de notabelen van het dorp.

Onze eindbestemming was zeker niet Tervuren, laat staan dat de keizer er plechtig zou worden ontvangen. Maar toch liet keizer Karel halt houden om te luisteren naar wat de delegatie te vertellen had.

Na de nodige plichtplegingen kwam het hierop neer dat de keizer werd uitgenodigd om eens een bezoek aan Tervuren te brengen. Dat zou, aldus een wat hakkelende burgemeester, een grote eer zijn.

'Goed,' zei keizer Karel. 'Op één voorwaarde ! Het moet gemoedelijk blijven en de ontvangst moet gebeuren volgens de gebruiken van de streek.'

Dat was geen probleem. En of het zijne majesteit zou behagen om volgende zondag al te komen, op de feestdag van de
patroonheilige?
'Ik zal er zijn!' zei de keizer.
Nauwelijks waren wij verdwenen of de burgemeester stond
al op de pui van het gemeentehuis en liet alle klokken
beieren. De Tervurenaars stroomden prompt samen op het
dorpsplein.
'Zondag komt de keizer naar hier!' zei de burgemeester,
die nog steeds een beetje buiten adem was.
De keizer! Algemene opwinding!
'Zie dat de straten een beetje proper liggen en dat jullie zelf
ook wat proper zijn!' zei de burgemeester. 'De keizer wil
ontvangen worden volgens de gebruiken van de streek. Dus
wat kunnen we hem beter aanbieden dan een teil rijstpap?'
Dat vonden de Tervuurse vrouwen een goed idee en ze gingen aan de slag In ieder gezin werd het vuur opgestookt en
een teil rijstpap bereid. Met rozijnen of met Spaanse wijn,
met eieren of kaneel.
De volgende zondag kwam de keizer aan, zoals afgesproken. De klokken luidden, de straten waren met bloemen en
guirlandes versierd en elke Tervurenaar was op zijn paas-
best. In de raadzaal van het gemeentehuis was een grote tri-
bune getimmerd, waarop de keizer mocht plaatsnemen.
In de gang naar de raadzaal stonden de mannen van Tervuren met hun teil rijstpap. Ze waren er toch niet al te gerust
in. De burgemeester inspecteerde zijn troepen en probeerde
zijn zenuwen in bedwang te houden.
'Mannen,' zei hij, 'er kan niets gebeuren! We gaan gewoon op een lange rij de raadzaal binnen en één voor één
bieden we de keizer onze rijstpap aan. Ik zal voorop gaan
en jullie doen precies wat ik zelf doe!'
Zo gezegd, zo gedaan.
Onder bazuingeschal stapte de burgemeester de raadzaal
binnen, traag en waardig, alsof hij meeliep in een processie.

73

Achter hem aan kwamen de notabelen van Tervuren, elk met een grote kom rijstpap in de handen.

Nu had de raadzaal voor het keizerlijke bezoek een grote beurt gekregen en lag de vloer glimmend geboend. Bovendien was de burgemeester nogal dik en kon hij door zijn puilende buik moeilijk zijn eigen voeten zien.

Het onvermijdelijke gebeurde. Nauwelijks was de burgemeester halverwege de zaal toen hij opeens struikelde. Zijn teil rijstpap ging prompt tegen de vlakte en de burgemeester viel er met zijn neus pardoes middenin!

De mannen die achter hem kwamen, aarzelden geen ogenblik en doken met hun eigen teil ook tegen de vloer.

'De Lannoy,' vroeg de keizer verbaasd, 'zijn dit de gebruiken van de streek?'

'Ik denk dat er een klein misverstand in het spel is, majesteit.'

De burgemeester krabbelde overeind. Zijn hoofd zag rood als een biet, van woede en schaamte.

'Stomme ezels!' tierde hij.

'Stomme ezels!' riepen alle mannen in koor.

'Nee, nee!' gilde de burgemeester wanhopig.

'Nee, nee!' schreeuwden al de anderen.

'Zwijg of ik doe een moord!'

'Zwijg of ik doe een moord!'

De burgemeester liet zich temidden van de rijstpap moedeloos op de grond zakken en begon een potje te huilen.

En alle mannen gingen op de grond zitten en begonnen ook te huilen.

En keizer Karel?

Die huilde tranen van het lachen!

*De gek die dacht
dat hij keizer was...*

OP een dag kreeg ik er
lucht van dat er in Antwerpen een gek woonde die dacht dat
hij keizer was. Ik hoorde dat hij Cattoor heette en vaak door
de straten van de stad schreed, gekleed in een wijde mantel
en met een ijzeren kroon op zijn hoofd.
Ik vertelde dit natuurlijk meteen aan de keizer.
'Zozo !' zei keizer Karel. 'Een tweede keizer ! En dan nog
wel in de keizerlijke stad ! Hoe behandelen de Antwerpe-
naars hun keizer, de Lannoy ?'
'Ze vinden hem wel vermakelijk,' zei ik. 'Vooral omdat hij
het zo méént ! Vaak vormen ze een erestoet voor hem en
zetten hem schrijlings op een ton, die ze de stad rondtrek-
ken.'
'Op een ton ?'
'Zoals Cambrinus, majesteit.'
'Ongehoord,' zei keizer Karel verstrooid. 'En laat de keizer zich dat welgevallen ?'
'O, dat vindt hij best. Zolang er bij iedere herberg die ze
voorbijkomen, kan gedronken worden.'
'De Lannoy,' zei de keizer, 'ik moet de keizer van Antwerpen zien !'

Ik had zoiets al verwacht. 'Het kon wel eens gevaarlijk worden, majesteit,' zei ik voorzichtig.

'Waarom?'

'Twee keizers die elkaar binnen dezelfde stadsmuren ontmoeten...'

'Voorzover ik weet, ben ik niet op voet van oorlog met keizer Cattoor!'

'Nee, dat is waar! Maar er is een nog veel groter gevaar.'

'En dat is?'

'Cattoor is getrouwd met Dwaze Mie. Ze geeft Cattoor er iedere dag genadeloos van langs met de bezem. Omdat hij geen klap uitvoert en omdat ze denkt dat een dagelijkse pandoering hem uiteindelijk tot bezinning zal brengen.'

'Een methode als een andere,' zei keizer Karel.

'Vroeger namen de mensen Cattoor nog in bescherming als Mie hem over de straat achternazat. Maar dat doen ze allang niet meer. Wie er zich mee bemoeit, kan óók een pak rammel krijgen.'

'We gaan erop af, de Lannoy!'

Als de keizer zich eenmaal iets in het hoofd had gehaald, kon niets of niemand hem nog op andere gedachten brengen. Dus trokken wij met zijn tweeën een paar dagen later naar de Scheldestad, gekleed als eenvoudige kooplui.

Cattoor woonde in de Stoelenstraat. Lang moesten we niet zoeken voor we hem in elkaar gezakt op de pui van een herberg vonden, huilend en kermend. Hij was één hoopje ellende. Zijn mooie rode mantel vertoonde een grote scheur en zijn kroon was helemaal scheefgezakt.

Keizer Karel hurkte bij hem neer en vroeg: 'Vriend, wat is jou overkomen?'

Cattoor wiste de tranen uit zijn ogen, keek keizer Karel met vlammende blik aan en zei streng: 'Je spreekt je keizer niet zomaar aan met *vriend*!'

'Neem me niet kwalijk, majesteit,' zei keizer Karel ernstig.

'Vertel eens wat er aan de hand is!'

'Een aanval in de achterflank,' zei Cattoor. 'En de keizerlijke garde die het eens te meer liet afweten! Die kerels zijn de helft van de tijd bezopen!'

'Zozo,' zei keizer Karel. Hij liet me in de herberg een kruik bier halen voor keizer Cattoor, die daar zichtbaar van opknapte.

'Minstens één keer per dag word ik afgerost door de keizerin,' fluisterde Cattoor, die schichtig in het rond keek. 'Zij is des duivels, heerschap. Alleen maar omdat ik keizer ben!'

'Maar dat is onvoorstelbaar!' zei keizer Karel. 'Als u geen keizer meer bent, is zij toch niet langer keizerin?'

'Ze zegt dat ik afstand moet doen van al mijn landen,' zei Cattoor, 'en gaan werken, zoals iedereen.'

Keizer Karel boog zich naar Cattoor en zei heel zachtjes : 'Zal ik je eens wat vertellen? Ik ben ook keizer!'

Cattoor zette grote ogen op. 'En word je ook iedere dag afgerost?'

'In het begin wel, maar nu niet meer,' zei keizer Karel. 'Je moet weten hoe je zulke varkentjes moet wassen. Breng me naar de keizerin, we zullen hier eens korte metten mee maken!'

Samen met Cattoor liepen we naar zijn kleine huisje in de Stoelenstraat. Op veilige afstand werden we gevolgd door een aantal nieuwsgierigen, die wel eens wilden weten hoe dit zou aflopen.

'De keizer keert terug naar zijn residentie!' riep er één spottend.

'En de bezem zal dansen!'

We kwamen door een bedompt gangetje op een binnenplaats, waar een potige vrouw bij een wastobbe stond. Toen ze Cattoor zag, begon ze meteen te gloeien van boosheid.

'Ben je daar eindelijk, nietsnut?' En toen ze keizer Karel in het oog kreeg : 'Wie heb je nu weer opgescharreld?'

'Luister eens, vrouw,' zei keizer Karel, 'ik ben de keizer en...'

'Nóg een keizer !' gilde Dwaze Mie met overslaande stem. 'De ene gek zoekt de andere op !' En ze pakte een grote bezem die naast de tobbe stond en ranselde Cattoor en keizer Karel de straat op. Ze zat de beide keizers nog een heel eind achterna, tot ze helemaal buiten adem was.

Keizer Karel had nog dagenlang last van een pijnlijke rug, en zijn raadslieden konden maar niet genoeg krijgen van het verhaal.

Maar telkens het verhaal uit was, zei keizer Karel ernstig : 'Echte keizers worden mishandeld door hun onderdanen, zoals die arme dwaas mishandeld wordt door zijn vrouw. Denk daarover maar eens na !'

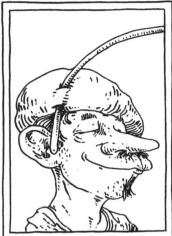

Hoe boer Klaas door stropen rijk werd

S OMS leek het erop of hij het met opzet deed. Talloos zijn de verhalen over keizer Karel die verdwaalt. Mijn heer en meester was in staatszaken altijd bij de les, maar wanneer hij een dagje vrijaf nam en uit rijden of uit jagen ging, was hij vaak verstrooid.

Zo gebeurde het op een dag dat hij in een groot bos in de omgeving van Gent verdwaalde. Hoe dieper hij doordrong in het dichte struikgewas, hoe uitzichtlozer de zaak werd. Nergens was er een levende ziel te bespeuren. Geen andere jager of reiziger kruiste zijn pad en alle houthakkers leken wel van de aardbodem verdwenen. Zelfs de struikrovers hadden die dag andere zaken aan hun hoofd.

Erg veel zorgen over zijn lot maakte de keizer zich niet. Maar hij kreeg grote honger en dorst en had natuurlijk verzuimd enige proviand mee te nemen.

Na uren dwalen, kwam hij bij een open plek, waar tot zijn verrassing een kleine hut stond. Het was geen herberg, maar in de schuur knorde een varken en uit de schoorsteen kwam rook !

Keizer Karel steeg af en klopte aan.

De deur werd opengemaakt door een kleine man, die hem wantrouwig opnam.

79

'Goede man,' zei keizer Karel, 'ik heb geen kwaad in de zin, maar ik vrees dat ik verdwaald ben. Ik heb honger en dorst.'

De man in het deurgat dacht hier even over na en zei dan : 'Kom binnen !'

Keizer Karel kwam in een schemerige ruimte, die tegelijk keuken en slaapplaats bleek te zijn. Bij de haard stond een vrouw in een pappot te roeren. Het water kwam keizer Karel in de mond, want de pap rook heerlijk.

'Vrouw,' zei de man, 'deze vreemdeling is verdwaald en heeft honger en dorst.'

'De pap is zo klaar,' zei de vrouw.

Keizer Karel ging zitten.

'Ik ben Klaas, de bezembinder,' zei de man. 'En dit is mijn vrouw Mie. Hoe heet jij ?'

'Karel,' zei keizer Karel.

'Wel, vriend Karel, wees welkom ! Mijn tafel is schraal, maar honger is de beste saus.'

Dat moest keizer Karel beamen toen even later de pappot op de tafel werd gezet.

En toen hij zijn buikje rond had gegeten, vroeg hij : 'Dat bezembinden moet ook maar armoe troef zijn.'

'Och, Karel,' zei Klaas, 'de spoeling is dun. Maar klagen doen we niet. We hebben een varken in de schuur en we hebben een geit. En... en er is natuurlijk het woud !'

'Het woud ?'

Klaas trok een zeer ernstig gezicht. 'Kun je een geheim bewaren, vriend Karel ?'

'Natuurlijk,' zei keizer Karel.

'Je woord erop ?'

'Alsof het het woord van de keizer zelf was !' zei keizer Karel plechtig.

Klaas verdween achter een deurtje en kwam even later terug met de prachtigste reebout die keizer Karel ooit had gezien. Hij floot tussen zijn tanden. 'Ben jij een stroper, Klaas ?'

'Ik stroop alleen wat ik nodig heb,' zei Klaas. 'Meer niet.'
'Dit is wild waarop alleen de keizer mag jagen,' zei keizer Karel. 'Op het stropen van keizerlijk wild staat de doodstraf.'
'Dat weet ik,' zei Klaas rustig. 'Maar zou de keizer een paar reebokken missen, denk je?'
Karel begon te lachen. 'Ik denk dat de keizer genoeg te eten heeft.'
'Dit was eigenlijk voor na de pap,' zei Klaas. 'Denk je dat je ergens nog een gaatje kunt vullen?'
'En of!' zei keizer Karel.
De reebout werd aan het spit geregen en terwijl de heerlijkste geuren de hut vulden, liet Klaas aan keizer Karel zijn eenvoudige bedrijfje zien. Ze liepen samen door de kleine moestuin. Ze keken naar het varken en naar de geit en ze keken naar de bezems, die Klaas in een schuurtje bijeen bond.
'Ik zou er best meer willen maken,' zei Klaas, 'maar kappen in het bos is beperkt. Daar ziet de rentmeester streng op toe.'
'Zozo,' zei keizer Karel. 'Zozo.'
Het was al laat op de middag voor ze met zijn drieën de bout hadden opgegeten.
Keizer Karel stond op. 'Ik heb zelden zo lekker gegeten,' zei hij naar waarheid. 'Maar ik moet terug naar Gent vóór het donker wordt.' Hij nam uit zijn beurs twee goudstukken en legde ze op de tafel. 'Eén voor de pap en één voor het gebraad,' zei hij.
Klaas en zijn vrouw wisten niet wat ze zagen.
'Maar Karel!' zei Klaas. 'Dat is toch veel te veel!'
'Ik ben rijk getrouwd,' zei keizer Karel met een vreemd lachje. 'Wil je mij naar de juiste weg brengen?'
En dat deed Klaas maar al te graag.
Een week nadien werd ik door de keizer als boodschapper naar de hut van Klaas gestuurd.

Ik trof hem en zijn vrouw aan in het kleine schuurtje waar ze bezems bonden. Ze keken vreemd op toen ze daar zo opeens een rijke sinjeur voor zich zagen.

'De Lannoy is mijn naam,' zei ik. 'Ik kom met de groeten van de keizer. Hij zou je graag morgenochtend op het paleis ontvangen!'

'Mij?' vroeg Klaas, die wat witjes om zijn neus werd. 'Ik op het paleis? Dat moet een vergissing zijn, heer!'

'Jij bent toch Klaas, de bezembinder?'

'Ja, maar... En waar gaat het over?'

'Dat heeft de keizer er niet bijverteld.'

En weg was ik.

De volgende morgen, meer dood dan levend, trok Klaas naar het paleis in Gent. Met trillende benen kwam hij de troonzaal binnen waar keizer Karel zat. Klaas dacht dat hij zou flauwvallen.

'Karel...' fluisterde hij. Toen zonk hij op zijn knieën. 'Genade, majesteit! Ik... ik...'

'Wij hebben samen een geheimpje, is het niet, Klaas?' vroeg de keizer. 'Ik heb je niet verraden! Aan niemand! Het woord van de keizer is het woord van de keizer!'

Klaas stond sprakeloos.

'Sta op, Klaas!' zei keizer Karel. 'Hierbij verleen ik je de toestemming om ten eeuwige dage rijsthout te kappen in het bos. Bovendien mag niemand zich nog in mijn nabijheid vertonen zonder een bezem te dragen die door jou gebonden is!'

Zo werd Klaas een zeer welvarend man. Hij werd keizerlijk bezembinder, maar het siert hem dat hem dat nooit naar het hoofd steeg.

De keizerlijke koorzanger

MIJN HEER bezat vele kwaliteiten, maar zingen was aan hem niet besteed. Met permissie gezegd, hij zong zo vals als een kat. Maar hij zong gráág. Hij wist ook wel dat hij daar niets van terecht bracht. Maar hij schiep er een duivels genoegen in om zijn verzamelde hovelingen regelmatig op een paar van zijn liederen te vergasten. Hun oren tuitten ervan, maar ze prezen na afloop om ter meest zijn uitzonderlijke zangtalent en zijn wonderlijke stem. En dan lachte keizer Karel in zijn vuistje.

Op een zondagmorgen kwam hij in Schaarbeek voorbij en zag hoe het koor in groep naar de kerk trok om daar de hoogmis te zingen.

Keizer Karel aarzelde geen moment en spoedde zich naar de koorleider. Hij verklaarde dat hij graag wou meezingen. De koorleider was zeer vereerd en even later stond de keizer in de kerk tussen de andere koorleden opgesteld.

Nu was het zo dat keizer Karel niet alleen vals zong, hij kende ook geen woord Latijn.

Die morgen was keizer Karel bijzonder op dreef. Hij kraste niet alleen als een slechtgestemde viool, maar hij verbrabbelde zo de edele oude taal, dat het afschuwelijk was om te horen. Het hele koor raakte erdoor van slag en de koorleden wierpen woeste blikken in zijn richting. Hij mocht dan duizend keer keizer zijn, die pias verknoeide de hele mis! Ten slotte kon ook de koorleider het niet meer aanhoren. Midden in een gezang liet hij de muziek ophouden en ging naar keizer Karel. Dat verwekte grote beroering in de kerk. De pastoor kwam erbij en de parochianen verlieten nieuwsgierig de bidbanken.

'Majesteit,' zei de koorleider, 'mag ik u als door de wol geverfde koorzanger een goede raad geven?'

'Natuurlijk,' zei keizer Karel.

'Mocht uwe majesteit ooit overwegen om aan de macht te verzaken om op zijn oude dag rustig iets anders te gaan doen, dan zou ik uwe majesteit niet aanraden om lid van een koor te worden.'

'En waarom niet?' vroeg keizer Karel strijdlustig. 'Omdat ik slecht zing?'

'Omdat u geen Latijn kent!' zei de koorleider.

Keizer Karel dacht even na, keek naar de koorleden, de pastoor en de verzamelde parochianen en vroeg toen aan de koorleider: 'En u, begrijpt u wel wat u zingt?'

De koorleider keek een beetje verlegen. 'Wel,' zei hij, 'eigenlijk niet zoveel!'

Toen vroeg de keizer aan de andere koorleden: 'En jullie, begrijpen jullie Latijn?'

'Nee,' zeiden ze.

Toen wendde de keizer zich tot de pastoor en vroeg: 'Begrijpt u de mis die u zingt?'

De pastoor kuchte en zei: 'Hier en daar zo'n beetje. Je leert het op het gehoor en zo gaat dat al jaren in de hele Kerk.'

Daarop vroeg de keizer aan de parochianen: 'Begrijpen jullie wat deze kerels iedere zondag zingen?'

De parochianen stonden met de mond vol tanden. Niemand van hen kende een jota Latijn.

Keizer Karel begon te lachen. 'Als niemand hier Latijn verstaat,' zei hij, 'hoe kan er dan bezwaar tegen zijn wanneer ik de mis meezing in het Grieks ?'

Het krijsende varken

SAMEN met een groot gevolg reed keizer Karel op een mooie dag naar Leuven.
Op een gegeven moment kwamen we op een heel smal paadje terecht met aan weerszijden bomen en dicht struikgewas.
Dat ware geen probleem geweest, maar voor ons uit sjokte een boer voort, die een ongelooflijk vet varken voor zich uitdreef. Af en toe gaf hij met een stok het dier een bemoedigende tik op zijn hespen. Zonder dat dit veel uithaalde.
Een hele tijd reden we stapvoets achter hem aan, omdat we niet anders konden. Af en toe wierp de man een schichtige blik over zijn schouders. Hij zat er duidelijk mee verveeld dat hij zo'n voornaam gezelschap moest ophouden, maar de man kon ook geen kant op.
Het varken, dat naar de markt moest en enige nattigheid voelde, gaf er tot overmaat van ramp op een gegeven moment de brui aan. Het bleef opeens stokstijf staan midden op het pad en verroerde geen vin meer.
Wat de boer ook deed, het varken wou noch vooruit noch achteruit. De man sleurde en trok, mepte verwoed met zijn stok, maar het was boter aan de galg. Het beest stond als een rozig blok en dat was het dan.

Graaf d'Assche, die ook in het gevolg reed en zich allang had zitten verbijten, trok zijn sabel en zei : 'Majesteit, laten we het ter plaatse kelen en in de struiken gooien, dan zijn we ervan af !'

'Rustig d'Assche, rustig !' zei keizer Karel. Hij steeg van zijn paard en liep op de boer toe.

'Wat is hier aan de hand, brave man ?'

'Ja, heer,' zei de boer ongelukkig. 'Er is geen beweging meer in te krijgen ! Soms zijn ze zo koppig als een ezel !'

'Laat mij maar eens begaan,' zei keizer Karel.

'Hebt u dan verstand van varkens, heer ?'

'Ik ga er dagelijks mee om,' zei keizer Karel.

Hij liep op het varken toe, pakte het bij zijn staart en gaf daar een ferme draai aan. Krijsend en gillend ging het varken er op een holletje vandoor. De boer keek het een ogenblik met open mond na en ging er toen als een pijl uit een boog achteraan.

'Lieden die varkens kweken, moeten weten dat er een handvat aanzit !' riep keizer Karel hem achterna, en tevreden steeg hij terug op zijn paard.

En nooit heeft hij willen vertellen waar hij dat trucje geleerd had.

De bril van
Oudenaarde

KEIZER Karel hád iets
met Oudenaarde. Hij kwam er veel en graag *incognito*,
maar op een dag liet hij de vroede vaderen van Oudenaarde
weten dat het hem zou behagen eindelijk eens feestelijk en
in groot ornaat Oudenaarde binnen te rijden. En de komen-
de kermis van Oudenaarde leek hem daartoe een goede gelegenheid.

De burgemeester riep in ijltempo zijn schepenen bijeen in
de raadzaal om de kwestie te bespreken. De man was er
niet gerust in.

'Van Karel kun je alles verwachten,' zei hij. 'Hij is een on-
verbeterlijke grappenmaker en het liefste wat hij doet, is
magistraten te kakken zetten.'

'Och,' zei een van de schepenen, 'hij wil gewoon naar de
kermis komen. De keizer is dol op kermissen.'

De burgemeester schudde zijn hoofd. 'Daar gaat hij altijd
alleen op af. Maar nu wil hij met alle toeters en bellen naar
de kermis van Oudenaarde komen ! Hij voert iets in zijn
schild, let op mijn woorden !'

'Wat zou hij dan in zijn schild kunnen voeren ?'

'Dat weet ik niet,' zei de burgemeester ongelukkig. 'Veel

te vroeg of veel te laat komen, bijvoorbeeld. Arriveren als iedereen nog in bed ligt of ons hier uren laten staan schilderen in vol ornaat.'

'Het eerste is erger dan het laatste, alles wel beschouwd. En we hebben toch een torenwachter? Die ziet hem van mijlen ver aankomen!'

'Pier?' vroeg de burgemeester schamper. 'Die is zo kippig als een uil!'

'Pier heeft kattenogen,' zei een van de schepenen vergoelijkend. ''s Nachts is hij een heel goede torenwachter.'

'Ja, als hij niet slaapt,' zei de burgemeester. 'Nee, wat we nodig hebben is een jong, wakker element met de ogen van een valk.'

'Dan moet je mijn knecht vragen,' zei de brouwer. 'Lode. Hij is jong en uitgeslapen en heeft de scherpste blik van heel Oudenaarde.'

Ze lieten meteen Lode komen en legden hem de situatie uit. Lode keek sip. Hij had mooie plannen gemaakt om met zijn lief, Marieke, kermis te vieren. En nu moest hij bovenin die stomme toren gaan zitten koekeloeren!

'Het is een hele eer, Lode!' zei de brouwer, die als enige begreep wat er in Lode omging. 'En je krijgt een nagelnieuwe trompet!'

'Dát is dan geregeld!' zei de burgemeester opgewekt. En daarna begonnen ze te praten over erehagen en versieringen allerhande, over vlaggen en vaandels, over een erepodium en over passende toespraken. Enfin, over alles wat geregeld moet worden als een keizer je stad bezoekt.

De morgen van de kermis stond Lode vóór dag en dauw bij de toren van Oudenaarde. Met onder zijn arm een nieuwe, blinkende trompet. En hij had zwaar de pest in.

Bij het eerste morgenlicht kwam Pier geeuwend de wenteltrap af. Hij had slecht geslapen. Maar hij keek goedkeurend naar Lode met zijn trompet en zei: 'Blazen voor de keizer ! Het is niet iedereen gegeven, jongen !'

Lode gromde wat en begon aan de lange klim naar boven.
De klok sloeg vijf uur en heel Oudenaarde was nog in diepe
rust.

Lode installeerde zich bovenin de toren zo goed en zo
kwaad als het kon. Hij zag de zon opgaan boven het land
van Oudenaarde en dat was toch wel prachtig. Als de keizer
mooi op tijd kwam, kon het misschien toch nog wat worden
vandaag.

Hij speurde naarstig de horizon af, maar in het landschap
bewoog niets. Lode at rustig een boterhammetje en dacht
aan de keizer, die nu nog wel op één oor zou liggen. Lode
had over keizers geen groot gedacht. Er werd gefluisterd
dat keizer Karel jarenlang gevrijd had met een meisje uit
Oudenaarde. Zo zie je maar, dacht Lode, keizers zijn ook
maar mensen.

Om de vijf minuten stond Lode op om de horizon af te speu-
ren, de trompet in de hand. En toen hij dat voor de zoveelste
keer deed, het was even voor zessen, kon hij zijn ogen niet
geloven. Uit de richting van Brussel vorderde langzaam
een lange stoet door het landschap. Paarden, de zon op glin-
sterende helmen - geen twijfel mogelijk ! Ze waren nog
heel ver, maar Lode aarzelde geen moment. Hij zette de
trompet aan zijn mond en toeterde prompt de hele stad wakker.

De burgemeester tuimelde van schrik uit zijn bed en weldra
liepen de straten van Oudenaarde vol met verwarde, halfge-
klede mensen. Het stadsmagistraat holde naar het stadhuis
en de burgemeester zei wel honderd keer : 'Heb ik het niet
gezegd ? Heb ik het niet gezegd ?'

Pas toen de stoet dichterbij was gekomen, merkte Lode zijn
vergissing. Wat hij voor de keizerlijke stoet had aangezien,
was een karavaan van feestelijk opgetuigde karren vol met
boeren, die afzakten naar de kermis van Oudenaarde. Ze
waren feestelijk uitgedost en de juwelen van de boeren-

vrouwen blonken als helmen in de zon.

Toen de burgemeester dit hoorde, kreeg hij bijna een hart-aanval. 'De scherpste blik van Oudenaarde !' gilde hij woedend. 'Iedereen terug naar bed ! En stuur iemand naar boven om die idioot de les te spellen en te zeggen dat... Wee zijn gebeente.... wee zijn gebeente... enzovoort !'

Lode zat met een klein hartje bovenop zijn toren, toen op-eens Marieke opdook.

'Marieke !'

Ze had een kruik wijn en brood en kaas voor hem meege-bracht.

'Hoe is het daar beneden ?' vroeg Lode, nadat ze uitge-zoend waren.

'Ze zijn razend,' zei Marieke.

'Dat zal hen leren,' zei Lode balorig. 'Bij de minste bewe-ging moest ik alarm blazen, zeiden ze. En dat heb ik gedaan ook !'

'Trek het je niet aan, Lode !' zei Marieke. 'Je zal zien, de keizer komt keurig op tijd en dan is de rest van de dag voor ons ! Ik zie je straks wel !'

En weg was ze weer.

Het was warm bovenop de toren. En de wijn was koppig. Langzaam dommelde Lode in. Hij merkte niet hoe even voor elven een schitterende stoet de stadspoorten naderde, met keizer Karel voorop.

Er kwam niemand uit de stad hem tegemoet, de stadspoort was onbewaakt en in heel Oudenaarde was er geen mens op straat ! De stoet reed in een vreemde stilte tot voor het stad-huis. Niets bewoog.

'De Lannoy ?'

'Majesteit ?'

'Ga eens kijken wat hier aan de hand is !'

Ik ging het stadhuis binnen, dat helemaal verlaten scheen, tot ik in een klein vertrekje een slapende stadsbode aantrof.

Die schoot verschrikt wakker, keek me met uitpuilende ogen aan en vroeg verward : 'Hoe laat is het ?'

'Te laat om de keizer behoorlijk te ontvangen,' zei ik. 'Hij staat met zijn hele gevolg voor het stadhuis !'

De man sprong overeind. Als een kip zonder kop rende hij het kleine vertrekje rond. 'De keizer !' zei hij. 'Maar de torenwachter... De burgemeester ! De burgemeester !' En hij ging er als een haas vandoor.

Geen vijf minuten later stond de burgemeester, helemaal ontdaan, voor het stadhuis, gevolgd door zijn schepenen. Hij putte zich uit in verontschuldigingen, had een verward verhaal over vals alarm, een torenwachter, de scherpste blik van Oudenaarde en... en... 'Wee zijn gebeente ! Wee zijn gebeente !'

Het werd tenslotte toch nog een mooie kermis, daar in Oudenaarde. De burgemeester, die gevreesd had voor zijn vel, kwam er nog goedkoop vanaf. Want keizer Karel zei : 'Als straf zal de hele stadsmagistratuur voortaan een bril moeten dragen ! En die moet ook in het stadswapen opgenomen worden !'

En zo komt het dat er in het wapenschild van Oudenaarde sinds die dag een bril staat !

En ten slotte...

HET is schemerig geworden in de kamer en een beetje kil. Mijn hand is verkrampt van het vele schrijven.

Buiten is het zachtjes beginnen sneeuwen, want we gaan langzaam naar nieuwjaar toe. Een nieuw jaar, met een vroege winter.

Heb ik alles verteld over mijn heer én vriend?

Lang niet alles!

Er zijn nu eenmaal verhalen over de keizer die ik niet kan controleren of die ik te flauw vind om op te tekenen. Volksfiguren als de keizer gaan op de duur een eigen leven leiden. Ik vermoed dat er nog bijna dagelijks verhalen over hem verzonnen worden. Al was het alleen maar omdat de glorie van de keizer dan ook een beetje afstraalt op de verteller zelf. Het zij zo. Het valt niet tegen te houden en het is menselijk.

Ik strooi wat zand over dit papier om de laatste inkt van dit boek te laten opdrogen. Daarna loop ik stram naar het raam en kijk uit over het land, dat langzaam dichtsneeuwt.

Zijn land, ooit.

Hij is al jaren dood, God hebbe zijn ziel, maar hier leeft hij en zal hij altijd blijven leven.

Het ga u allen goed!

Willem de Lannoy

BEKNOPTE BIBLIOGRAFIE

Michel de Zwaen, *De zedelycke dood van Keizer Karel den Vijfden*, 1707.

Jan de Grieck, *De heerlycke en vrolycke daeden van keizer Karel*, Brussel, 1675.

J.F. Willems en F.A. Snellaert, *De heerlijke en vroolijke Daden van Keizer Karel*, Gent, 1912.

Michel de Ghelderode, *L'Histoire comique de Keizer Karel,* Brussel, 1926.

Abraham Hans, *Keizer Karel in Vlaanderen*, Brussel, 1952.

Henri van Daele, *Keizer Karel op sloffen*, Antwerpen, Utrecht, 1972.

OVER DE AUTEUR

Henri van Daele werd in 1946 geboren in Zele, een Oost-Vlaams dorp dat hij in veel van zijn boeken als decor heeft gebruikt.

Henri van Daele studeerde aan de Gentse universiteit diplomatieke wetenschappen en pers- en communicatiewetenschappen. Hij werkte als journalist, copywriter, scenarist en cursiefjesschrijver voor diverse kranten en tijdschriften.

Als schrijver debuteerde hij in 1964 in de reeks *Vlaamse Filmpjes* en in de jaren daarna publiceerde hij zo'n honderd boeken.

Veel van zijn boeken werden in binnen- en buitenland bekroond (o.a. in 1983 met de *Driejaarlijkse Staatsprijs voor Jeugdliteratuur*).

Boeken van hem werden vertaald in het Engels, Frans, Spaans, Duits, Japans, Zweeds, Noors en Lets.

Recente boeken van Henri van Daele, uitgegeven bij Averbode:

Prinsessen en zo...

De bende van Jan Praet, grandigen bol

Geweren voor Rollier

Van de sneeuwman die niet smelten wou

DE KEIZER LACHT
Henri van Daele
Illustraties: Joep Bertrams
© NV Uitgeverij Altiora Averbode, 2000
D/2000/39/04
ISBN 90-317-1544-1
NUGI 221

ST-CHTING NEDERLANDSE
KINDERJURY
2001

CIP
DE KEIZER LACHT
Henri van Daele
Illustraties: Joep Bertrams
96 blz. - 21,5 x 14,5 cm
Jeansboek
ISBN 90-317-1544-1
NUGI 221
Doelgroep: vanaf 10 jaar
Trefwoord: jeugdboeken, verhalen